谨以此书

献给我慈爱和坚强的母亲

作者全家福

任毅 著

养儿育女在美国

Raise the Children
in America

中西書局

图书在版编目(CIP)数据

养儿育女在美国/任毅著.—上海：中西书局，
2011.8

ISBN 978-7-5475-0277-8

Ⅰ.①养… Ⅱ.①任… Ⅲ.①家庭教育—通俗
读物 Ⅳ.①G78-49

中国版本图书馆CIP数据核字(2011)第145774号

养儿育女在美国

任 毅 著

责任编辑	李 梅	
装帧设计	梁业礼	
出版发行	上海文艺出版(集团)有限公司(www.shwenyi.com)	
	中西书局(www.express.com.cn)	
地　　址	上海市打浦路443号荣科大厦17F(200023)	
经　　销	各地 新华书店	
印　　刷	上海市印刷七厂有限公司	
开　　本	700×1000毫米 1/16	
印　　张	13.25	
版　　次	2011年8月第1版 2011年8月第1次印刷	
书　　号	ISBN 978-7-5475-0277-8/G·074	
定　　价	28.00元	

序

　　很高兴也很荣幸为这本书写序。我跟本书的作者任毅一家是多年的老朋友，这本书勾起了当年一起在美国学习和生活的许多美好回忆和感受，也学到了很多东西。

　　1991年夏，我去位于美国加利福尼亚州圣迭戈市的加利福尼亚大学全球冲突与合作研究所从事研究工作，在那里结识了任毅一家。由于我跟任毅的先生都是从事政治学研究的，相互间早就听说过对方，而且都跟北京大学有直接渊源，有很多共同语言，所以我们很快成了好朋友，不久两家的夫人、孩子也成了好朋友。那时，任毅的先生正在忙着写博士论文，家里有三个孩子，夫人一边工作，一边带孩子，可谓辛苦！我也在美国念过书，知道在美国念书不易，何况在念书写论文的同时，还要拉家带口，而且要养育三个孩子，可以想象有多难！一年之后，我们离开圣迭戈，但两家一直保持着联系。事隔多年，任毅的先生成了国际知名的华人学者，三个孩子先后进入美国的著名大学念书，可以说是功成名就、家庭美满！我常跟朋友唠叨，说任毅的先生能干，博士也读了，书也写了，这么多孩子也带了，真是什么也没有耽误，了不起！其实，在说这些话的同时，我也知道，这功劳不能都算在他头上，除了他自己很努力以外，他的身后还有一位坚强和智慧的妻子。

　　这本书讲述了任毅一家在美国的部分经历，其中最为突出的是孩子们在美国受教育和成长的过程，书中的故事反映了作者本人对美国教育、孩子培养和美国社会的一些亲身感受。这些年国内关于中式教育讨论甚多，民间赞誉者不多，批评者则大有人在。无独有偶，美国人也很关注教育问题，对美式教育诟病很多，对中式教育鼓吹者却不少。双方都试图从对方的教育方式中寻找灵感。作者在书中没有对中式或美式教育抽象地发表议论，而是通过在美国送孩子上学的经历使读者从中感受到美式教育的一些特点。比如说，美国老师对孩子的态度要比中国老师多一点平等和亲切，少一点威严和管教；再如，美国的学校更重视培养孩子自我学习的能力，而中国的学校更强调帮助孩子系统地掌握课本知识。两种教育方式很难说哪一种更好一些，这可能要取决于个人的偏好。在作者看来，也许在两者之间平衡一下要更好些。

值得一提的是，任毅发现，和中式教育一样，美式教育也很关注孩子的品德培养。但是，和中式教育不同的是，美式教育在这方面似乎要少一点说教，多一点有针对性、照顾孩子感受的措施。如亮靓的幼儿园老师针对亮靓小时候不太愿意与别人分享的情况，刻意安排亮靓给班上的小朋友分饼干，让她自己体验分享的快乐和养成与人分享的习惯。再如美国学校非常注意培养孩子们对家长的亲情和感恩，每年的母亲节和父亲节都组织孩子们亲手做些小礼物、小卡片，（注意！不是去买礼物）送给他们的父母。还有就是在汉青小学学校举行的母亲节茶话会上，学校特意让孩子们给家长端茶倒水，从小培养他们尊重和热爱劳动的习惯。

从结果来看，来自中国的任毅女士是在中式教育和美式教育之间进行平衡的成功者。她的三个孩子，亮靓、佳俐和汉青，一个在中国出生，两个在美国出生，都在美国接受基础教育，最后都上了美国最好的大学。在她培养孩子的经历中，既有对美式教育的怀疑和困惑，也有对美式教育的理解和适应。在孩子的教育问题上，任毅首先碰到的问题是作为一个中国家长，她是应该按照中国传统的方式来处理孩子的教育问题呢，还是入乡随俗，顺其自然，按美国方式来处理这个问题？经过一段时间的彷徨和思索，任毅的选择是在两者之间进行平衡，既在一定程度上保持中国家长对孩子成长过程的干预和管理，也大胆吸收美式教育中的一些合理做法。于是，和许多中国家长一样，她很关注孩子的教育，不断督促他们学习，甚至"狠心地"约束他们，同时，又跟许多美国家长一样，她给他们时间玩，包括送亮靓去跳舞和游泳，鼓励汉青参加足球队，认可汉青和佳俐自主选择和学习各自喜好的乐器，同意孩子们去参与学校的各种活动和小朋友之间的聚会。结果是好的：孩子们玩也玩了，学习也没有耽误。而且在玩的过程中，提高了与他人相处的能力，扩展了个人爱好和兴趣，还增强了身体素质。事实似乎证明，这种兼收并蓄的教育方式是有效和有益的。

关于美国社会，过去国内有不少误解和偏见。比如说美国是个物欲横流的世界，美国人只关注金钱，没有人情味，美国是个道德缺失的国家等。是的，和许多国家一样，美国确实存在着许多问题，但并没有一些人想象的那样极端。事实上，如同书中所描述的，美国人也没有把钱财看得那么重，美国社会也充满了人情味，美国人也非常看重道德操守。任毅一家和珠丽的关系可以说是很有人情味了，房东和房客能够建立如此深厚的友情，能够在分别之后还长时间彼此惦念，这是不多见的。还有任毅一家认识的那个美国富翁，他的生活是那样简朴，但他对公益事业是那样投入，足以让我们国内的许多富豪汗颜。再有就是那两位修女，她们是那样真诚无私地帮助着他人，包括来自异国他乡的任毅一家，让他们感受到人与人之间的真情和温暖，正是她们的一言一行使得任毅的孩子们从小有了长大要"积德行善"的凤愿！

我是研究国际关系的，在从事研究的过程中，我发现无论是国内还是国外，都有那么一些人，在谈及国际关系时，常常把别的国家说得一无是处，好像自己的国家是道德楷模，把别人想象成角逐利益和权力的唯利是图的野兽，把自己想象成维权和伸张正义的无私奉献的天使，动辄主张对外强硬，张嘴就要打打杀杀。于是我常想这样一个问题，那就是，是什么蒙住了这些人的双眼，让他们看不到人间的善良和美好，看不到人与人关系中的质朴和真情，看不到国与国之间相互尊重、和平共处与互利共赢的可能性？是愚昧无知？还是政治斗争的需要？还是人性丑恶一面的外露？

书中记载的故事很真实，内容很丰富，令我很感动。我愿意向大家推荐，也相信大家读后也会有许多发自内心的感受。

贾庆国

2011年5月

目录
Contents

关于这本书

　　这是一个普通的中国母亲，回忆和记录了她的三个普普通通的孩子在美国生活、学习和成长的真实经历。

　　这三个孩子——亮靓出生于北京，四岁多随母亲到美国，和在那里学习的父亲团聚；佳俐和汉青在美国出生。他们三人生长在一个中国留学生的家庭，从小随着父母在美国的不同的地方生活过，在不同的城市和小城镇的学校里学习过，因此，在他们的成长过程中，就形成了不同的有趣的画面。

　　在这本书里，你将会看到许多中美教育方式的差异与碰撞，如：

1 在美国幼儿园里，老师是怎样用生动活泼、浅显易懂的方式，既让孩子们学到了知识，又明白一些最基本的做人道理；同时，也可以看到老师对孩子的观察和关心。这些，在"第一个单词"、"分享"、"母亲节茶话会"等故事中可以看到。

2 美国的学生有家庭作业吗？他们都做多长时间的作业呢？他们放学以后，又做些什么事呢？这是每个学生和家长都关心的事。从"老师的'警告信'"、"小足球的魅力"、"学钢琴的起落"故事中，你可以了解到美国孩子们多种形式的课外活动。

3 美国的学校和老师是怎样鼓励和支持高中生们去实现和完成学生们创造性的思想小火花呢？你可以从"组建学校辩论队"和"小佳俐做大课题"中得到启发。

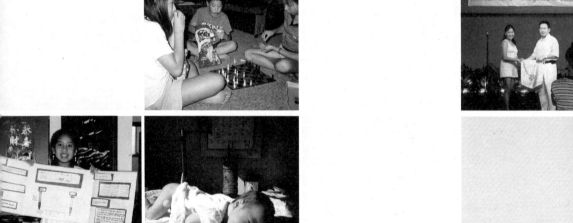

4 很多人都想象美国的学校一定是非常好，对吗？实际上，美国的学校和中国一样，有好学校，也有差学校。如果你看了"小镇学校"，看到当年佳俐和汉青在那里上学的实况，你会了解到，美国的中小学也存在城乡差别，也存在教育经费和师资的问题，也有需要改进的地方。另外从"佳俐补数学"的故事里可以看到美国学校不同的教学方法。

5 美国的学校提倡学生们要"好好学习，天天向上"吗？他们重视学习吗？同学们之间有相互谈论成绩和互相比较、竞争的情况吗？在"怎么会是我？"这一个难忘的往事中，你可了解美国学生的学习心态。

6 这三个孩子出生在地道的中国家庭，却又在美国的学校受教育，他们是怎样在这两种不同的文化中成长的呢？从"妈妈，你应当付钱给我"的故事中，可以看到"亲情"和"金钱"之间的文化冲突，以及一种反思。同时，你从"事出有因"中，看到我们是怎样由"被拒绝"到"被挽留"，从而了解到尽管中美两种文化有所不同，但友谊真情是一样的。另外，你既可以从"舞会的'烦恼'"中，看到美国高中生有趣的课余生活，也可以看到汉青是如何摆脱矛盾的心理，作出正确的选择，从而了解到孩子们在成长过程中如何学到为人处世的方法。

7 作为一个在美国的移民家庭，家长对孩子们学习有什么要求吗？每科成绩必须都是A吗？他们有学习的压力吗？他们能够像美国的同学们一样，自己做主申请和选择大学吗？他们能够参加学校的舞会，在同学家里过夜，玩计算机游戏，结交男女朋友吗？这些在孩子们成长的过程中不可避免的事情，你都可以在"申请和选择大学"、"少有的'物质鼓励'"、"让他们玩会儿吧"、"结交男女朋友"等故事中看到三个孩子不同的成长经历。

8 在孩子们成长的岁月里，怎样逐步培养和训练他们的独立生活的能力、动手能力、组织活动能力和外界交往的能力？在"亮靓'卖画'"、"孩子们的厨艺"、"他们其实很能干！"这些章节中可了解孩子的能力不容小觑。

9 这三个孩子跟着父母在美国的不同地方生活过，接触过许多不同的美国人，认识和相交了一些美国朋友。这些生活环境和美国朋友们，对他们的成长会有什么样的影响呢？从"戴比一家"、"修女朋友"、"'突击'西班牙语"和"富翁朋友"这几篇的记录中，你会有所了解。除此之外，从"佳俐出生后……"、"有这种好事？"、"我们的房客"这些章节中，你也可以看到美国社会的多元色彩。

10 作为在20世纪80年代到美国的中国留学生家庭，不免生活窘迫，与此同时，还要养育三个孩子，但是这些并没有难倒我们，孩子们也在健康地成长。正是孩子们的身上也流淌着中华民族的血液，孩子们和他们的父母一样，同样地眷恋文明古国的山山水水，他们学中文，承传中国文化，他们深知中国是我们的根。

在如今的中国，东西方文化互相交融、互相渗透。年轻的一代，不但从小学习中文，也开始学习英文，渴望更多地了解外面的世界。这三个孩子，生长在中国家庭和美国的大环境里，也是在这种东西方文化的碰撞和融合中成长起来的。正因为如此，但愿他们这段真实的经历能给同为父母的你们一些参考与启发……

第一章

来到异国他乡

(1985 年 12 月—1986 年 8 月)

这里有如花似锦的美景,这里也有淳厚简朴的民风,这里还有诗人般的情怀,这里更有让我们刻骨铭心的往事!

1985 年 12 月 25 日,当我带着四岁多的女儿从北京飞到美国的堪萨斯城,与已在那里学习的先生团聚的时候,迎面扑来的一切是满目的陌生、新鲜、奇特! 虽然我和女儿只在堪萨斯城生活了八个月,但因为这是我们首次真实接触美国,一个个与我们曾经的生活和环境是那样不同的第一次,让人回味无穷!

第一个单词

飞过太平洋，终于见到了朝思暮想的爸爸，小亮靓的兴奋劲儿就甭提啦！又因我们抵达堪萨斯时正是美国的圣诞节的傍晚，满目皆是五颜六色的彩灯，到处都是红艳艳的盛开的圣诞花，笑容可掬的圣诞老人，挂满各种饰物的圣诞树，优美的圣诞节音乐，圣经故事中的一个个人物雕塑……你想，一个才四岁多的孩子，一下子看到这么多从来就没有见过的新鲜事物，能不惊奇，能不兴奋吗？我先生的美国朋友热情地把我们从飞机场接到他的家里，和他们的家人一起欢度节日……啊！快乐的节日，亲人的团聚，朋友们的热情款待，俨然像一丝丝春风，飘进了我们的心田，驱散了冬日的寒冷……

你也许很想知道小亮靓学会说的第一个英文单词是什么，对吗？别着急，我这就告诉你。

圣诞节刚过，我先生就着手给亮靓联系幼儿园。美国的义务教育是从小学到高中，幼儿园是要缴费的，而且也不便宜。因为我先生当时是密苏里大学的"穷学生"，学校因此减免了幼儿园的费用，可是一个星期只能去三个半天。后来在我们的美国朋友的帮助下，亮靓又去一所教会幼儿园上两个半天。这样，从周一到周五，每天上午她都能去幼儿园了。

第一天送小亮靓去幼儿园，热情洋溢的老师一看到这个中国来的"可爱的小娃娃"：大大的眼睛，圆圆的脸蛋，黑色的头发上别了个红蝴蝶结，一身大红色的衣裤和红皮鞋，她立刻说道："呵，太可爱的小姑娘！欢迎！欢迎！"老师的惊奇和热情，瞬间冲走了我们双方第一次见面的生疏和拘谨。我们刚刚自我介绍了一下姓名,好奇的小朋友们已把小亮靓围住了,个个睁着大眼睛,目不转睛地看着她,上下打量,还有个孩子大胆地摸摸小亮靓的手。看到他们每个人都那么惊奇和友好,我们没有多说什么,谢谢老师和同学们后,就把小亮靓交给了老师,先离开了……

中午我去接亮靓,她都来不及和老师打招呼,就急急忙忙地拉着我往家跑。我问:"亮靓,你这是怎么啦,跑什么呀? 你不喜欢幼儿园吗?"亮靓说:"不是,我要去厕所!""什么? 去厕所? 你在学校没去厕所?"我没想到,一上午三个多小时,她就没去厕所? 亮靓边跑边说:"妈妈,我不知道用英文怎么说? 我也听不懂老师和同学在说什么。"哎呀,我这才突然醒悟,我们是太粗心了,明明知道孩子一句英文都不会,就没想到要教她一点简单实用的词汇,总是觉得孩子学语言快,让她在这个环境里,自己去学地道的英文。这时,我们赶紧把这个重要的词"厕所"教给了她。这,就是她到美国后学的第一个英文单词。

第二天,我们送亮靓上幼儿园,告诉了老师这个情况,老师不光向我们道歉,还带着亮靓和我们在幼儿园里转了一圈,专门介绍了教室、卫生间、活动室等地方,还仔细地告诉我们每节课的时间表和活动内容,让我们对幼儿园有个大概的了解。另外,老师又指定了一个美国小姑娘和亮靓结伴,让她和亮靓一起上课,一起参与班里的活动。老师对我们说:"亮靓真是一个很活泼可爱的小姑娘,虽然语言不通,也能和小朋友们在一起玩,才来第一天,大家都非常喜欢她,你不用担心,她这种年龄,会很快学会英文的。"我们很感谢老师的关心,也能理解老师的难处,亮靓一句英文都不会说,老师也不会说中文,怎么交流? 只能打哑语,用手势和实物来表达。那时候,从国内到美国读书的学生相对少,在堪萨斯城这样的中西部地区,中国学生也不多,像亮靓这样的中国小姑娘,更是屈指可数。在一群全是黄头发、蓝眼睛的白人孩子中间,亮靓是那么地显眼。幼儿园里的老师和同学们都喜欢这个天真、活泼的北京小姑娘,对她既热情,又难以表达;既想帮助她,又限于语言障碍,不知所措,难啊! 双方都难!

这是亮靓曾上过的堪萨斯城幼儿园，这也是她在美国接受教育的第一个起点。

　　过了两天，我去接亮靓，一进教室，就看到一位年轻的中国女学生和亮靓正在说话，我还没开口，她就热情主动地招呼我："您好！您是亮靓的妈妈吧？我叫文蒂，是从台湾来的，在这所大学里经济系读硕士研究生。昨天，学校里负责外国学生的老师打电话给我，说有个从中国来的孩子在大学的幼儿园里，她不会说英文，老师和同学们无法和她交流，希望我能到这里来当助教，给老师当翻译，也顺便帮助那个孩子学习英文。"听她这么一说，我喜出望外，说："那太好了！这下就太方便了，有你在，老师和同学们都不用那么犯难了，亮靓也开心。"她说："是啊，现在大家都方便了。"我又问文蒂："不过，我可真没想到学校会这样关心学生，连幼儿园的孩子都关心？"文蒂说："你要知道，这个幼儿园是学校的一个下属单位，每学期会雇一些研究生到幼儿园给老师当助教，有时也会有学教育学和心理学的学生们到这里实习。我正在申请校内工作，因为我能说中文,他们就雇了我。"文蒂还很高兴地对我说:"小亮靓能说一口标准的北京话,声音真好听。你知道吗,我在教她学英文,我也能跟她学说北京话,练习那个'儿'音……"

随着我们交流的深入,才知道文蒂居然和我们住在同一栋楼,真是无巧不成书。这样,文蒂有时间的时候,就会把小亮靓叫到她那里玩,像个大姐姐一样照顾她。从那以后,亮靓每天都非常高兴地去幼儿园,英语"突飞猛进"。三个多月后,她已经能说一口流利和标准的日常用语,这让她如鱼得水,和老师的交流越发流畅,和小朋友们之间的关系也越来越亲近。小朋友们开始请她到家里去玩,请她去参加生日派对;有的小朋友请她到家里去过周末,还和他们一起去公园玩。

你也许会问,亮靓去的那个教会的幼儿园怎么样呢?这所教会幼儿园人数很少,她的班里才六个孩子,除了她,还有一个美国小姑娘是她的玩伴。虽然也存在语言不通的问题,但是由于亮靓是三天在学校的幼儿园,她可以"现学现卖";另外,因为教会幼儿园的学生少,又是以玩为主,肢体语言也帮助了他们互相之间的沟通。

总之,小亮靓,这个曾经被称为"小皇后"的中国独生子女,就是这样开始了她在异国他乡的人生之旅。

分享

大概，很多做父母的和我一样，都担心自己的独生子女没有兄弟姐妹，会有孤独感，不会与人相处和分享。如果从小不培养这种好的品格，他们长大以后进入社会，能够很好地与别人相处和共事吗？这确实是一个很实际的问题！当我看到小亮靓一天天地长大，这个问题更是常常盘旋在我的脑海，我也经常在寻找一个行之有效的方案。

一天，亮靓从幼儿园回来，告诉我："妈妈，今天在幼儿园，老师专门教了我们一个词'share'，中文的意思是'与别人分享'。"听亮靓这么一说，我眼睛一亮，立即就说："噢，这是一个非常好非常有用的词，你应当记住啊！"亮靓说："老师可没像你这样说，要我们记住。在课堂上，老师告诉我们'share'是什么意思后，就拿了一盒饼干出来，你猜猜看，怎么了？"看着亮靓神秘兮兮的样子，我倒犯傻了，一点也不知道她在说什么，我说："饼干，是吃的东西，和'share'有什么关系？老师是让你们大家吃饼干，对吗？"亮靓有点得意地笑了，说："老师点名叫我把盒子里的饼干分成十五份，放到十五个小纸盘子上，然后，把纸盘放到每个小朋友的桌子上。等每个人都有了饼干后，我们大家就一起吃。"我心里想："这有什么稀奇的？"亮靓接着说："老师等我们吃完饼干，就问我们：'刚才，亮靓把一盒饼干，分成十五份，分给你们每个人两块，这种做法，叫做什么？'小朋友们都争着回答：'这就叫做'share'！'老师说：'对了，这就是'share'的意思，就是要学会和别人分享你拥有的东西。那么，哪位同学还可以再举个 share 的例子呢？'这时，有个叫麦克的小朋友举手说：'我家里有很多玩具，别人想要玩我的玩具时，我就应当让他玩,让他和我一起 share 我的玩具……'"听着亮靓津津有味地说着班里的事,我问亮靓:"如果别人要玩你的玩具,那你该怎么办呢?"亮靓想了想说:"我也会让他们玩啊!如果是我很喜欢的玩具,别人想玩,我就这样吧,我玩五分钟,让他玩五分钟,再轮回,怎么样? 这也是一种 share,对吗?"我笑了,说:"这当然是啊! 亮靓,妈妈今天应当给你一个五分!"

大概是过了一个多星期后,我去幼儿园参加家长会,专门和老师提起这件事。老师笑着跟我说:"亮靓能明白这个道理,非常好! 你知道我为什么叫亮靓给大家分饼干吗?"我说:"我不知道,她也不知道吧?"老师对我说:"亮靓是个很可爱的孩子,大家也很喜欢她。可是,我观察到,在班里,她喜欢玩的东西,她不愿意让别人碰,有次还和小朋友为一个小玩具争起来了。所以,那天课堂上,当我给同学们解释完'share'的意思后,就专门让亮靓来分饼干给小朋友。她也非常高兴,看得出,她很乐意为大家服务。"听老师这么一说,我心里明白了,老师确实是在很仔细地观察和了解亮靓,对她的优缺点看得这么清楚。作为亮靓的母亲,我很早就发现了她的这个缺点。小朋友来家里玩,她可以与小朋友玩一般的玩具,但是对自己很喜欢的玩具,她不太愿意让别人玩,有时还会把它藏在一边,不愿让别人碰。每当我看到这种情况时,会直接地劝说她,有时也会批评她,可是,我的话对她来说是"左耳进,右耳出",没起什么作用。可是,老师用看似做游戏的方法,显然是让小亮靓理解和记住什么是"与别人分享"。

至此,你是否觉得这是一节有趣的有意义的课呢? 它传递的是一种人生的基本且必要的理念,学会分享不正是孩子们所需要的吗? 不也正是我们做父母的所期盼的吗?

小泡泡糖

对于小亮靓来说,刚到美国的生活是多层面的。她在幼儿园的学习生活多姿多彩,新鲜新奇,每天都会学到很多新东西。可是,回到家里,由于当时我们的条件有限,则是另一种情状。

1985年,中国的国门刚开始向世界打开,出国留学和探亲在当时来说还是件稀罕事。当时政府规定每个人只能用人民币兑换三十美元,我和亮靓两人,怀揣六十美元,拎着一只小手提箱,来到美国。

那时,我先生在密苏里大学学习,学校每个月才给他500美元的生活费。如果是他一个人生活是够用了。他可以和同学合租房屋,费用相对低。中国学生都很俭省,吃喝的花费不大。但是,如今我们一家人至少要租一居室,房租每月250美元,再加上医疗保险等费用,所剩那点钱除了吃饭,还能买什么呢?

记得那是刚到美国不久的一个周末,亮靓第一次和我们一起去超市买菜,她看到琳琅满目的食品和小玩具,爱不释手,习惯性地想要买这买那。我们只能告诉她,“不能买”和为什么“不能买”。后来,在交钱处,她看到一个圆圆的红颜色的小泡泡糖,才五分钱一个,她想让爸爸给她买,爸爸却摇摇头说“不能买”。亮靓很懂事地含着眼泪点点头,就跑到一边去了。我站在一旁,看到此情此景,抱起女儿伤心地走出商店。亮靓的小脸蛋紧紧地贴着我的脸,我的泪水也禁不住地刷刷往下流。我不由得想到北京,想到王府井,那时五分钱算什么呢?别说买一个泡泡糖,就是十个、二十个,又怎么样呢?可是现在,竟然我连几分钱的泡泡糖都不能给孩子买,我……我怎么会想到在美国的生活,竟会是这样?! 而女儿从那以后,有一年多的时间,都不愿和我们一起去超市。以后的好几年内,即使和我们去商店,她也几乎没有主动地说要买这或买那……

我可以理解先生的节俭,他对自己也一样,连理发的钱都不舍得花,非要我这个在国内从未拿过理发推子的人帮他理发,好在他不在乎我理的头发像鸡抓过的一样。但是,我一想到亮靓想要的小泡泡糖,一种无名的伤感油然而生,于是我迫切地想找份有收入的工作。但客观情况是,当时我是"有嘴不能说,有耳听不懂,无车走不远"。英语,是一道难关。巧的是,在后来的一次聚会上,我遇到了一位中餐馆的老板,他问了我的一些情况后,就主动地给了张他的名片,并说:"随时欢迎到我的餐馆去工作。"我把这件事告诉先生,想去餐馆工作,挣点钱补贴家用。他说:"你才来不久,还是先在家学学英文。餐馆里的活是伺候别人的事,你不行! 就是你去干,你心里也会不平衡的……"他执意不让我去餐馆打工,要我在家做全职太太和学英文。我知道他关心我,怕我受委屈,也就顺从了他。直到有一天,他的一位朋友看到我,问了问我的近况,并且说:"你是有福气,有这么一位好老公! 你知道吗,你们没来前,你先生怕你们来后生活不好,大雪天的晚上,跟着一帮人去铲雪,铲了一整夜,才挣了三十五块钱。有一次,还差点出事……""真的? 我从来没听他说过这事。"那位朋友一本正经地说:"那当然,他怎么能告诉你这些,他不是不想让你担心吗? ……"听到此事,我再也坐不住了! 我应当与他分担眼前的困难! 于是,当他和孩子都上学后,我给那家餐馆的老板打了电话,说要去打工,老板欣然答应了。因为要照顾亮靓和先生的学习,我只有中午和周末到餐馆打工。我先生知道我已经联系好去餐馆干活,也就不再阻拦我,只好说:"干得好你就干,不喜欢就别去!"

在餐馆里,像我这种新手,只能干最低等的活,每天擦桌子、端盘子、倒水、打扫厕所,帮助厨房摘豆角、包春卷,有时还要学着干"剥鸡皮,卸鸡肉"等杂活,工资当然是最低的。但那时我想:挣一点是一点,总能减轻一点先生的负担,等拿到钱,给亮靓买个泡泡糖。干活虽然累些,脏些,还是可以承受。难以忍受的是,有时老板娘总是埋怨我端茶倒水速度慢,其实我已尽自己的努力,有时甚至小跑。一天午饭期间,客人多,我端着水快走,不小心与对面而来的托着大盘菜的服务员相撞,菜、水"哗啦啦"洒了一地,我因此挨了老板娘狠狠一顿臭骂,还被扣了小费!当时,我真想甩手不干,一走了之!但想到先生的节俭,想到女儿和那小泡泡糖,我跑到厕所,擦干眼泪,假装没事,接着干活……这样的日子持续了三个多月,直到我们搬家。

虽然当时亮靓还不到五岁,当我告诉了她妈妈要去餐馆打工和为什么去打工,她很懂事地说:"妈妈,你去吧。我和爸爸在家,爸爸要看书学习,我不会吵他的,我会自己玩。"那时我们住的是给学生住的独立楼,右边靠马路,左边是停车场,没有地方给小孩子玩。而且她还小,不能一个人出去,所以,我不在家时,她爸爸看书,她就自己乖乖地在家里一个人玩玩具,画画,看看书和电视。困了,就自己洗澡睡觉,也不要她爸爸操心。有时晚上我打完工回来,看到小亮靓自己蜷缩在沙发床上,呼呼地睡得挺香,我只能轻轻地亲亲她那可爱的小脸蛋,心里有一种说不出的歉意,在她这么小的年龄,是多么想妈妈在她的身边啊!

那期间,逢到节日时,我们的一些美国朋友会请我们到他们家去做客。当时有一对美国夫妇鲍博和玛丽,他们曾经在1981年随美国一个代表团访问过中国。我当时因为工作关系,和一位英文翻译一起代表中方,全程陪同该代表团在中国进行了两个星期的参观访问。其中这对美国夫妇就住在堪萨斯城。当他们得知我们也到了美国,而且也住在堪萨斯城,自然非常高兴,很热情地接我们去他们自己的家、他们女儿的家和参观他们的公司。鲍博和玛丽的外孙和外孙女和亮靓差不多大,所以每次去他们家,尤其是到他们的女儿家,几个小孩子一见如故,咚咚地就跑到他们的游艺室去了。他们的生活条件很好,每个孩子的卧房都是根据孩子的性格和爱好而布置和摆设的,在孩子们的游艺室里,各种玩具也是应有尽有。亮靓和他们在一起搭积木,玩芭比娃娃,做游戏,打乒乓球,玩得可开心了。当然了,每次离开时,孩子们也是玩兴未尽,依依不舍。亮

这是小亮靓和爸爸、妈妈在堪萨斯城的留影。尽管美国是一个汽车王国，但是，对于初到美国的"穷学生"来说，这两辆美国朋友送给我们的自行车，仍然是我们全家人的交通工具。

靓生日时,他们也送给她很多玩具和礼物。让我们欣慰的是,亮靓被邀请去过很多美国小朋友的家里玩,孩子嘛,尤其是小女孩,她也很喜欢那些可爱的小芭比娃娃,可是她从来没有要求我们给她买过任何一件那样的玩具。

那些日子,我们除了购买生活必需品,亮靓的玩具、图书和衣服,很多都是朋友们送的。当时的小亮靓,只要有衣服能穿就行,不在乎是别人的旧衣服。我有时和亮靓开玩笑:"亮靓,你知道吗,过去我们中国人有个习惯,想要小孩子身体好,就让他们穿别人的旧衣服。现在你啊,穿这些衣服,可以少生病,健康成长……"至今,在我们家里的衣橱里,还保留了亮靓来美国后买的第一条连衣裙,那是她 1993 年参加小学的毕业典礼时买的。

我们的小亮靓,就是这样,跟着爸爸、妈妈在美国,品味着生活中的酸甜苦辣……

事出有因

谁会想到,四岁多的孩子到美国后,会遇到这种如"耗子躲猫"的事呢? 如果不是亲身经历,我们又怎能悟出,身在异国他乡,和自己语言文化完全不同的外国人相处,什么才是最重要的呢? 这种经历,对孩子、对我们来说,当然是非常难忘,也是非常重要的一课。

我和亮靓到了堪萨斯城后,就住进了先生早已租好的离学校不远的公寓楼里。当时正值寒假期间,整个楼里比较清静。等到一月中旬,大学开学了,学生们纷纷回来了,管理公寓楼的经理也常常出现在楼道里了。

有一天,公寓楼的经理看到我和亮靓从大门进出,就叫住我们,问我们住在哪个房间? 什么时候住进来的? 我如实地告诉他了。第二天,我们收到经理的信,告诉我们,这栋公寓楼只出租给成人住,不允许带有小孩子的家庭居住,请我们另找地方。

到了二月初,我们又收到这位经理的信,限定我们三月份搬走。搬到哪儿去呢? 当时我们既没车,又没钱。离学校远的地方,房租会便宜点,可没有车去不了;学校附近倒是有一栋公寓楼允许带小孩的家庭住,但一居室就要 300—400 美元一个月。我先生当时一个月只有 500 美元的生活费,全家三口人的生活全靠它,怎能支付这么高的房租呢? 校友们帮我们出了个主意,让我们想办法在学校附近找独居的老人,她们有多余的房间,愿意低价出租,条件是要求租客帮助做些打扫卫生之类的家务活。这对我们来说,倒是一个可行的好主意。于是,我们一方面自己看报纸寻找这种出租房,同时也请我们的美国朋友帮忙。

　　我们的美国朋友迪克和美国夫妇鲍博和玛丽是好朋友,比较了解我们。当迪克得知我们的情况后,答应要帮助我们。他说他认识两位单身老人,曾经都出租过房子,但一个住的太远,一个就在学校附近,他可以去问问她们。我们当时一听很高兴,如果能够搬出这栋楼,我和亮靓就不用像耗子躲猫一样,每天出门前,先侦探一下公寓经理是否在门口。如果在,我俩就绕到楼的底层的后门,悄悄地溜出去,避免碰上那位经理。不然,撞见他,总要被说上几句,那种寄人篱下的感觉,当然不好受! 可是,到了二月底,迪克也没有消息。我们打电话去问,方知老太太不愿再出租房子。原有的一线希望破灭了。我们只得去跟经理把情况说明,恳求他再给一个月的时间。

　　三月中旬,我们收到公寓经理的律师信,信中限定我们"四月底必须搬出该公寓,否则,大家法庭上见!"看到态度这么强硬的信,对于初到美国不久的我们,心里是很畏惧的,也更加着急了。我们自己从报纸上看到有几家出租房,可是一打电话,又都说"房子已经租出去了"。只有一位老太太让我们去看房子。可是,一进门,一条大黄狗直冲着我扑过来了,吓得我直往后退,差点儿摔到地上。那女主人一边叫住那条狗,一边说:"别害怕,狗是在欢迎你们呢!"她怎么会知道,在我的腿上还留着当年下农村时被狗咬的牙印呢! 我又怎能不害怕呢? 一阵惊吓过后,在老太太热情的带领下,我们参观了她的房间和前后院子,并且看到她养有四条狗和三只猫,尽管老太太说她喜欢我们一家人,如果我们搬去住,她可以把房租再降十块钱。可是,那些猫,那些狗,真的让我望而生畏,只能婉言谢绝。我们又去找迪克,并且把律师的信给他看了。迪克告诉我们,他把我们的难处告诉了老太太,老太太很犹豫,也很同情我们的处境,但还是不愿出租房子。我们敏感地意识到这是事出有因,就问迪克是什么原因呢? 迪克这才告诉我们,原来老人叫珠丽,一条腿动过手术,行走不太方便,她低价出租房子是希望房客能够定期清扫室内外的卫生。一年前,她曾经把房子出租给一对年轻的留学生夫妇,所谈的条件是,每个月只付 100 元房租,但每周清扫一下卫生。可是,这对夫妇早出晚归,周末也很难见到人。住进一个月,只打扫过一次卫生,对此,珠丽感到很失望。当他们搬走后,珠丽也就不想再出租房子了。迪克说,他告诉了珠丽我们的为人,但是,一朝被蛇咬,十年怕井绳,珠丽怎么可能再轻易地相信我们这些外国学生呢?当我们知道是这个原因时,我们请迪克转告珠丽,我们想去看看她,和她当面谈谈。这样,在迪克的穿针引线下,我们约定在星期六下午拜访珠丽。

　　当门打开,一位慈祥、和善、笑容可掬的中等身材的老人站在我们面前,虽戴眼镜,但她那对碧蓝的大眼睛依然炯炯有神。珠丽热情地欢迎我们进屋。当小亮靓也用英文向她问好时,她很高兴地说:"我的外孙女和你差不多大。"珠丽对我们说,她的丈夫曾是军人,五年前去世了,他们的一对儿女都在外地工作。她自己退休前是当地一家医院的护士。一年半前,她的左腿关节处做了手术,至今仍感到行走不太方便,需要用助行器辅助行走。她很有兴趣地询问了我们的一些情况,大家有说有笑,不知不觉竟谈了一个小时。

　　第二天,迪克打电话给我先生,说珠丽很喜欢我们一家人,愿意把房子出租给我们住,条件与以前一样,一个月 100 块房租,同时每周帮助打扫室内外卫生。我们也请迪克转告珠丽,"非常感谢她的帮助,我们不会让她失望的!"就这样,四月底,我们搬进了珠丽的白色的维多利亚式的大房子。

　　这是一栋上下两层带有地下室的独立公寓房。一楼有大客厅、正式餐厅、挺大的厨房并带有吃早餐和喝咖啡的小餐厅,二楼是三间卧室和两间浴室。珠丽说,自她的腿动了手术后,她便请人把一楼的正式餐厅改装成卧室,这样她便于起居。珠丽领我们上了二楼,指着那两间整洁、明亮的房间,对我们说:"这间你们夫妇住,这间就让小亮靓住,可以吗?""当然可以,谢谢你了!"珠丽又打开壁橱,指着那些浴巾、床单、枕巾、毛毯,让我们自己选用和换洗。然后,她又推开那间主卧室的门,一切摆设看上去依旧是那么舒适、华丽,墙上挂着的他们夫妻的合影,让人联想到这曾经是一个和美幸福的家庭。珠丽不无感慨地说:"这间房已空了好长时间了,我也没收拾,先就这样放着吧……"她又领我们到厨房,指着那些炊具、餐具和冰箱说:"在这里住,你们就不用客气了。需要什么,你就用什么,用完洗干净,放回原处就可以了。"珠丽的热情大方让我们感到一种家庭的温暖,我问珠丽:"你喜欢吃中国菜吗?""喜欢,我很喜欢! 过去我们全家人常去中国餐馆。""那今天晚上,我来做中国菜,我们大家一起吃……"

我们搬到珠丽家后,因为小亮靓过了五岁生日,我们就把她转到离珠丽家不远的一所公立小学上学前班。学前班通常是上午半天,早上八点到中午十二点。我因为没有车,没法到中餐馆去打工,就只能在屋里全力伺候孩子、先生和陪伴珠丽。好在房租比以前少了一大半,我也就以相夫教子和"学英文"的理由来安慰自己。那些日子,每天早上,先生和亮靓上学后,我清洗完厨房,就和珠丽坐在宽敞明亮的客厅的沙发上看报纸、聊天;她有时会从报纸和杂志上剪下很多大减价的商品广告;有时她看电视连续剧,我也跟着看,看不懂的地方,珠丽就慢慢地给我解释。偶尔,珠丽的教会朋友会来看看她,大家一起聊聊天。每逢星期四上午,我清扫室内外卫生,洗衣服,到楼下收拾地下室的东西。地下室很大,堆满了很多东西。珠丽让我就把它整理归类,装入纸箱,捐送到教堂去。

每天中午亮靓放学回来,我们三人一起吃中饭。当然,珠丽是吃她的沙拉、三明治和酸奶,我们多数还是吃中餐。饭桌上,珠丽常问亮靓:"今天在学校怎么样啊?""你喜欢新学校吗?"有时亮靓带回在学校里画的画和手工作品,珠丽总是会夸奖她一番。有时珠丽和亮靓一起唱美国的儿歌,给她念书讲故事,玩游戏。当天气晴朗的下午,我们就让珠丽坐到轮椅上,推着她到附近的小公园散步,看小松鼠嬉戏,喂小松鼠吃面包渣。我们有说有笑,其乐融融。有时珠丽碰到熟人,她便主动地介绍我们,还会开玩笑说:"你看,这小姑娘是我的外孙女。"

一天早晨,我送亮靓到校车站回来,未见到珠丽,就敲敲她的门,她叫我进屋,说她感觉不舒服,可能是着凉感冒了,让我把小桌子上的药拿给她。我问她是否想吃点什么,她说:"现在不想吃东西,喝点水就可以了。"中午亮靓回来,珠丽感觉好点,我就让她们俩在那儿说话,我到厨房给珠丽做了一碗菠菜鸡蛋汤,并且放了一点儿香油和胡椒粉。珠丽边吃边说:"谢谢! 真好吃! 很有味道! 颜色也好看,黄色的鸡蛋花,绿色的菠菜,看着我就有胃口了。"并且还问:"怎么在餐馆就没见过这种汤呢?"我说:"那是餐馆,这是在家里做的,当然不一样啦。"珠丽听我这么一说,喃喃地自语:"是啊,在家里。"我见她的眼眶有点湿,一时不知自己说错了什么,就忙说:"珠丽,对不起,我的英文不好,如果说错了什么,请你原谅。"珠丽说:"不,不,不是你说错了什么,是我错了,是我当初不该两次拒绝租房子给你们。现在,我家里多热闹,大家在一起很开心。今天我不舒服,你还照顾我,我一个人住时,怎么可能呢?"她声音哽咽,说不下去了,我说:"珠丽,我们理解你当时的想法,那是非常正常的。实际上,是你在我们最困难的时候,帮了我们,否则,我们可能还要被告到法庭上……我们真的很感谢你。如果你喜欢喝这种汤,我下次还可以做,这对我来讲,很容易。"

　　一个月很快地过去了。记得那是6月20日的中午,我先生接到加州大学圣地亚哥分校政治系的电话,祝贺他被录取到该校读博士学位,系里正在准备给他奖学金的事,他很快会接到书面通知,希望他8月21日来学校报到! 哈! 这可是个好消息,总算可以实现他想读博士学位的愿望! 高兴之余,我们想到,怎么把这个消息告诉珠丽呢? 这段时间大家朝夕相处很愉快,我们一走,她又会是孤独一人在这间大房子里……反正是到8月份才走,还有两个月,因此,我们想等一等再告诉珠丽。

　　7月初的一天,珠丽很高兴地对我说,她女儿打电话来,说堪萨斯的夏天太热,已给她买了7月30日去丹佛的飞机票,请她到那儿去住一个月。看到她那么开心,我们就想还得再等几天,等她要去女儿家的兴奋劲过去,再跟她谈我们的事。

等到 7 月 15 日那天,晚饭后,我们来到客厅,亮靓正在和珠丽说笑,我坐到珠丽身旁的沙发上,我先生和珠丽闲聊了几句后,就把加州大学的录取通知书递给了珠丽,珠丽一看,马上意识到我们就要离开堪萨斯。就问我们"准备什么时候走?"我先生说:"学校是 8 月 21 日开学,我们准备 8 月 20 日离开这里。"我看到珠丽的脸色一下子变得很悲哀,虽然这是我预料中的事,但看到她那表情,我心里也很难过。我没想到,她会拉着我的手,几乎是带哭声地问我:"你先生要去读书,你和亮靓可不可以在这里,陪我住一段时间?"我当时怎么也控制不住自己的感情,眼泪潸然而下,一句话也说不出来……我心里是无法拒绝一个年迈的老人的请求,我知道她是真心实意地想挽留我们。我也确实很担心她年龄这么大了,腿又有毛病,孤独一人地生活实在不方便,尤其是生病时……我和亮靓留下来照顾她一段时间倒是可以,但是,我就怕万一出现什么意外,怎么办?我的心里非常地矛盾!……后来,还是我先生说了话:"珠丽,我们全家人都非常感谢你在我们最困难的时候,帮助了我们,我们会永远记住的!我们去加州后,也一定会与你保持联系,有时间,我们会回来看你的……"那一晚,我们都没有睡好,小亮靓也很依恋像祖母一样对待她的珠丽,我更为自己不能满足一位老人的心愿而感内疚……

第二天一早,珠丽对我们说:"我去女儿家时,就把房子的几把钥匙都交给你们。你们在这里住到 8 月 20 日。你们走时,把钥匙交给隔壁邻居就可以了。房租你们就不要再付了。"我先生说:"珠丽,你不在这里时,我们就不在这里住了。现在已经放暑假了,我不用去上课,我们可以搬到别处住。"珠丽说:"不要搬了。我相信你们,你们就在这住到要走的那一天吧!"

从那以后的两个星期,亮靓已放暑假,先生忙他的事,我们三人每天都安排时间到附近的公园、博物馆和大学的校园里去转转看看。我也想办法做些珠丽喜欢的中国饭菜让她吃。在这期间,珠丽还请了她的两位相距不太远的亲戚和教会的朋友们来家里聚会。我专门和珠丽商量,做了几道美国人喜欢的中国菜和香喷喷的春卷，让大家品尝。珠丽还特地让她的亲戚买了份厚礼送给我们和小亮靓。

7 月 30 日，我们和珠丽依依不舍地告别。8 月 20 日，我们把屋里屋外收拾得干干净净，在桌子上留下了一封信和一张房租的支票。到了圣地亚哥后，我的第一个长途电话就是打给珠丽，当时她在她女儿家，刚接到我们的电话，她很高兴，可是，说了几句，她的声音就哽咽了。后来，我们一直保持联系，那年的圣诞节还互相寄了礼物。然而，第二年的秋天，突然收到她女儿的信，告知珠丽与世长辞了……

1993 年，当我们开车从圣地亚哥去缅茵州的途中，我们特地在堪萨斯停留了三天，拜访了当年的老朋友们。我们还专门带亮靓去看看她曾经上过的幼儿园，看看我们曾经住过的公寓楼，以及珠丽那依然屹立的维多利亚式的房子……

密苏里河畔的堪萨斯城，是我们来到美国的第一站。这里的件件往事都因为是"第一次"而被赋予了不寻常的记忆。曾经被娇宠的"小皇后"也在这片美丽的土地上学习、成长……她将和爸爸妈妈飞到加州的圣地亚哥，迎接她的会是什么样的生活呢？

第二章

五彩缤纷的岁月

（1986 年 8 月—1993 年 8 月）

　　圣地亚哥像一块瑰丽的蓝宝石镶嵌在美国南加州的海岸上。这里风景秀丽、四季如春，不但有闻名遐迩的圣地亚哥的海洋世界、野生动物园，更有极具魅力的"中国国宝"大熊猫。这里的大学和生物医学的研究院，每年都吸引成百上千的著名学者和年轻的学生从五湖四海来进修、学习和学术交流。

　　我们在这座美丽的城市生活了七年。亮靓在这里读完了小学，她从"小皇后"变成了大姐姐，她的可爱的小妹妹佳俐和小弟弟汉青先后在这里出生。这七年里，有多少欢乐，多少艰辛，多少教训和收获，又有多少难以忘怀的新鲜事！你将会从亮靓上小学时发生的事情，看到美国的孩子们放学以后都做些什么；从亮靓学会挣钱和要妈妈"付钱"给她，看到一种观念；你还会看到佳俐和汉青出生前后的趣事；除此之外，你会从我们的房客，看到美国社会的多元色彩和孩子们的社会视角；从我们的美国朋友和我们的交往中，看到人们向往的一种真正的友情和关爱！

老师的"警告信"

我自己从小到大,在学校里读书,算是老师喜欢的那种好学生,我当然也希望自己的孩子成为一个好学生。可是,亮靓刚上小学二年级不久,我就收到了老师的一封"警告信"。这是怎么回事呢?让我来告诉你事情的原委。

那是 1988 年秋的一天,平时总是唱唱跳跳地和邻居小朋友一起回家的亮靓,那天却低着头回到家,把小书包一放,闷头坐到沙发上一言不发。我感到不对劲,问她怎么了,她把一封信交给我,说是老师写的,要我看完后,一定要签上我的名字,明天她必须交给老师!"噢,什么事,这么严肃?"我打开信,认真地看了一遍,原来是在上数学课时,"亮靓常和同学讲话,影响其他同学听课。这次是警告,下次再这样,就请家长到学校面谈。"从信中的语气,可以看出老师很不高兴,才写这张要家长签字的很严肃的字条。

这是我第一次看到美国老师的"警告信",我既感到突然,也意识到这事非同寻常,就问亮靓怎么回事?亮靓说:"上课时,老师教的那些算术,我早就会做了!老师布置的几道题,我一会儿就完成了。所以,我就和凯蒂在那儿说话了。"我问亮靓:"你作业做完了,老师知道吗?"亮靓说:"老师知道。""那么,你知道,在课堂上讲话,是对老师不尊重,也影响别的同学学习,是很不好的事。亮靓,你懂吗?"亮靓说:"我知道,我不是没事干吗?"我听她这样一说,也有点急了,大声说:"亮靓,什么叫没事干?你难道不能看看书吗?"亮靓也不示弱,冲着我说:"看什么书?!人家都在做作业,我看书?我不想看……"看着她既委屈又不服气的样子,我转而问她:"那老师在课堂讲的内容,你都懂啦?"亮靓非常自信地说:"那当然了,不信你看我的作业!"说着,她把作业本从书包里拿出来,递给我。我仔细地看了看她的作业,做的都对,而且这些题,很多是我曾经让她在家做过的。这时,我想了想这事不能全怪亮靓,我自己也是有责任的。

你也许会有疑问,"你女儿上课讲话,怎么牵上你了?"你大概不知道,亮靓上小学后,我就发现她们每天早上八点钟上学,下午两点半放学,从来没有任何家庭作业。放学后,回到家,也就是疯玩。我并不反对孩子们玩,但是,一个字也不看,一道题也不做,这不是太浪费时间了吗? 那句从小就熟记的"少壮不努力,老大徒伤悲"的"忠告",又不时地浮现在我的脑海。就为这家庭作业的事,在学校的家长会上,我还曾专门问过她的班主任老师。但老师告诉我,学校有规定,一、二年级的小学生,没有家庭作业,所有练习都在课堂上完成。于是,我就自己给她布置家庭作业:规定她每天放学回家,做十道数学题,写十个英文单词,做完以后,就可以出去玩。开始,她不愿意做,她的理由是"老师说没有家庭作业,你为什么要让我做作业? 别的同学回家可以去玩,为什么我不可以?"经过我和她的一番"说理"和"谈判"后,她答应"每天做十道题,写五个英文单词"。其实,这些作业她不到十分钟就完成了。就这样,她坚持了一年多,把两位数加减法都学会了。由此看来,她的算术程度在班里是有点儿超前了,于是就出现了这事。

这时我才意识到,孩子是在美国上学,可是我还是按中国的学习方式来要求她,这怎能不和她的现实情况"撞车"呢? 再说,亮靓是个小孩子,才六七岁,好奇心强,学东西图新鲜,已经会的东西,怎么会有耐心去反复练习呢? 我需要调整自己的做法,要学会让她"入乡随俗",按照学校的规定办。于是我对她说:"亮靓,今天这件事,也不能全怪你,妈妈也有责任。今后,妈妈不再给你布置家庭作业,但你要保证上课时好好听讲,按时完成老师的作业。"亮靓很干脆地答应了我的要求。从此以后,再也没有出现类似情况。即使以后亮靓有了妹妹和弟弟,他们也没再"重蹈覆辙"。

当然,正如任何事情都有两个方面,正是老师的这封"警告信",让我看到了自己的教育"盲点"。于是,我开始注重了解美国的孩子们放学以后都干些什么。经过一番"调查研究",我才发现,自己过去的看法是片面的。虽然小学没有家庭作业,但相当一部分美国孩子,放学以后并不全是"放鸭子"式的光玩,很多孩子参加各种活动,如:学游泳、弹钢琴、跳舞、学体操、打球、滑冰等等。不过,这些活动都不是由学校组织,全是家长根据自己孩子的爱好和需求自行安排的。而且,几乎全是由"妈妈当司机",接送自己的孩子们参加这些活动。所有的费用都是自己支付。当了解到这些情况后,我好像突然开窍了——让孩子参加这些活动不也是一种学习吗?孩子们的兴趣爱好是多方面的,怎么能只限于学习数理化呢?于是,我就根据亮靓的兴趣和当时我们的经济条件,送她去学习跳芭蕾舞和游泳。虽然小亮靓很想学钢琴,但限于当时的条件,未能让她如愿。

后来,随着亮靓的年级上升,我发现,学校的家庭作业也在变化。尤其是三年级以后,她进入了"Gifted and Talented Program"以后,她每天放学回来,都要做10—20分钟的作业,并且每天晚上还要读20分钟的课外书。具体读什么书,孩子们可根据自己的兴趣选择。实际上,美国的学校,从学前班开始就很重视学生的课外阅读。除非是写读书报告,一般情况下,老师不规定学生必须读什么书,但是要求学生自己记下每天读书的时间,老师每周做一次统计,了解每个学生的读书情况。老师会给读书达到要求的学生以物质鼓励,如请吃比萨、冰激凌等。除了阅读,在学习社会科学及历史方面的课程时,老师要学生撰写读书报告。写读书报告,有多种表达形式,不是简单地写篇文章。老师会根据所学的内容,有时要求学生用口述的方式,有时要用图示的方式来表达所写的读书报告。所谓口述,就是让学生走上讲台,把自己所写的文章,用演讲的方式介绍给大家,然后,回答老师和同学们的问题。图示则是让学生把自己要写的文章,用一幅幅剪贴画或绘画加文字注释的方式,放在一张大的纸板上,让大家一看就明白你的读书报告的内容。无论是亮靓还是佳俐或汉青,他们在完成这类读书报告时,都要费很多时间到图书馆去查资料,或到商店里买需要的东西,有时连周末也要加班。

　　除此之外,每个学期,老师会根据学生所学的自然科学课程,让学生自己动手去设计和完成一个或两个自然科学的项目。学校每年会举办一次学生的自然科学项目的展览,鼓励学生们多做项目以便参展,并邀请家长们观看孩子的科学实验项目。通常,无论是写读书报告,还是做自然科学项目,老师都会提前给学生一到两个月的时间,让学生们选择和准备。学生们可以根据情况,自己一个人做课题,也可以和其他同学结合成小组,共同利用课外时间来完成这些项目。在做项目的过程中,既练就了他们基本的研究和动手能力,也让他们充分安排了课余时间。

这是亮靓小学四年级,在学习自然科学课程时,自己完成的一项简单的实验报告。

　　等到亮靓上高中时,她忙得除了偶尔吃晚饭时能和我们说上几句话,平时很少有时间聊天。因为美国的高中生可以根据自己的情况,选修不同水准的课。对于准备读一般大学或专科学校的高中生,只要选修可以达到高中毕业要求的课程,修满学分就可以毕业,这些学生的家庭作业相对少一些。而那些想上一流大学的高中生们,则需要选难度相对大的科目,即相当于大学一年级的水平。正是因为如此,他们每天至少要做一两个小时的作业,有时甚至要做三四个小时,常常到晚上十一点或十二点才睡觉。偶尔,他们要写化学或生物学的实验报告,很多孩子都要忙到半夜的两三点才能完成,第二天早上,照样得按时去上学。除此之外,他们还要参加校内外各种课外活动,如:篮球、足球、棒球等运动项目;戏剧社、辩论队、校报、摄影队、科学实验小组等社团活动;以及各种义务服务:到老人院去慰问演出,帮助小学生课外阅读等;参与各种协会活动,如癌症协会的募捐活动。那时候,亮靓虽然下午两点多钟就放学了,可她要参加网球队、戏剧队、辩论队和义工组织的活动,常常到晚上六点多才回家。有时有演出或比赛,回家就更晚了。多数星期六,她都要参加辩论队的轮回比赛。有的周末,还要去做义工。直到那个时候我才明白,美国的孩子从幼儿园到小学,基本上是以玩为主,可上了高中后,则是另一个画面。

　　亮靓刚上小学时,我曾抱怨过"怎么没有家庭作业",乃至收到了亮靓小学老师的"警告信"。等亮靓到了高中,我却常常感叹:"怎么这么晚了,还没做完作业?"在那十二年间,我陪伴着亮靓从小学到高中毕业,一路走过来,我也从中学到和体会到了一句众所皆知的话——美国是儿童们的天堂。我确实看到多数美国的小孩子,他们从小没有任何家庭作业的压力,他们有着轻松和快乐的童年,可以无忧无虑地玩耍,尽情地享受着儿童的天真和幸福。但是,随着他们年龄增长和求知欲望的增强,他们的家庭作业和学习负担也在逐步地增加。

亮靓"卖画"

出生在北京的亮靓,正好赶上"独生子女"那一拨。加上她当时又是我们两家的第三代的第一个,自然是一位"小皇后"了。可是,当她随我们来到美国后,"桂冠"的光环也就荡然无存了。在她的身旁,没有宠爱她的爷爷、奶奶和姥姥;也没有叔叔、姑姑、舅舅和姨娘们可以抱着她,哄着她玩;更不可能她想要什么玩具就会买什么。曾经,父母知道我们才到美国生活比较艰苦,希望我们把小亮靓送回去几年。但是,我们还是坚持要把亮靓留在身边。我觉得,尽管当时的物质条件是相对差一些,但是,她和自己的父母在一起生活,同甘共苦,会更有利于她的成长。正是这样,她才有了以下多数"小皇后"们不曾有过的经历。

记得那是小学三年级,她放学回来后,在家里画了两张画,自己拿着画出去了。她没告诉我干嘛去,我也没问。因为那时我们住在加州大学里的研究生宿舍区,都是来自各个国家的研究生。有的研究生有家庭,有的是单身。大院里很安全,孩子们放学后在大院里玩,我从未担心过。大概过了一个多小时,亮靓兴高采烈地跑回来了,大声嚷嚷:"妈妈,妈妈!看我挣了七毛五分钱!"当亮靓真的把七毛五分钱摆到我面前,我很惊奇,问亮靓:"你哪来的钱啊?"她很自豪地说:"我卖画挣的呀!"我更是"丈二和尚摸不着头脑",问:"你卖画?你在哪儿卖画?就你,一个小孩子的画,也会有人买?"我真的无法相信,怎么会有人买这小孩子的画?亮靓仍然得意地说:"当然有人买啦!我把我画的两幅画,放在那小公园的椅子上,我就坐在旁边。有两个研究生路过看到了,我就问他们:'要不要买画?'他们俩看看我,问:'是你画的吗?'我说:'是我画的。'他们互相看看,又看看画,说:'好吧,我们买了。要多少钱?'我说:'五毛钱一张。'他们每人拿了一张,一个人给我五毛,另一个人没零钱,就给了我两毛五分钱。"听亮靓这么一说,我明白了,我说:"亮靓,这是你自己画画、卖画挣的钱,你自己留着吧!"亮靓说:"我不要,给你!"她硬把钱塞给我。我问她:"亮靓,你怎么会想起来去卖画呀?"因为我压根儿就没听她提过此事。她说:"妈妈,你还记得上星期六,在我们的院子里,很多人把自己家里不用的东西拿出来,摆在地上卖吗? 那天,我和美美两个人,在那里玩,我看到有好几个学生在买画,我想,我也会画画,我也可以试试画几张画去卖呀! 嘿! 我也没想到还真有人买了,还挣了七毛五分钱!"看着亮靓那天真可爱,又很得意的样子,我笑着鼓励她:"亮靓,你这小脑瓜,还挺机灵的,学会赚钱了! 妈妈倒是很为你高兴,小孩子嘛,就得敢尝试新东西! 画画是一种劳动,你学会用自己的劳动去挣钱,这真是件好事。亮靓,这是你第一次挣的七毛五分钱,先存到妈妈这里,给你以后上大学用,好吗?"亮靓点点头。

当时上三年级的亮靓是在"Gifted and Talented Program"。在这个班里的学生们,学的课程内容稍微深广些,教学方法更灵活些。当他们学到数学的多位数加减法时,任课的老师让学生们自己组织办一个筹集活动经费活动。老师给了他们三十块钱和一个月的时间,让他们用这三十块钱,想办法赚到更多的钱,作为班里的活动经费。亮靓对这个活动很感兴趣,主动负责起这个项目。她回来告诉我时,我也很新奇,这是我从未想过也没有做过的事,就问亮靓:"你们准备怎么把三十块钱变成更多呢?"亮靓说:"我已和几个同学商量了,我们先用部分钱去买一些盒装的口香糖和盒装的铅笔,然后把它们打开,一个一个卖给学校和班里的同学们。比如说,一盒口香糖是一块五,一盒有十个,我们卖两毛钱一个,这样一盒就可以赚五毛钱;铅笔嘛,……"听着"小负责人"的主意,我说:"这是个好主意,还有别的办法吗?"亮靓说:"我们还在想些其他办法。"因为她有了"卖画"的经验,当她和小朋友们在院子里骑自行车时,她就十分注意观察周围环境,果然又给她发现了一个新的"生财之道"。她看到离我们住处不远的一个大垃圾铁箱旁边,有人扔了两大塑料袋的酒瓶和饮料罐,她赶快回来告诉我,问我可不可以和她一起把这些瓶子拿到超市去卖?虽然那个时候,人们的环保意识没有现在这么强,但是,在我们附近的超市,还是有一个回收酒瓶和饮料罐的机器,当时一个酒瓶或一个饮料罐可以卖五分钱。亮靓曾经和我一起把家里的那些空酒瓶和饮料罐拿去卖过。因此,当她看到那些瓶瓶罐罐,就想到了回收的事。当时,她是一个八岁的孩子,不能自己去,就回家来找我帮忙。我们先去确认那些瓶瓶罐罐是别人扔掉不要的,然后就帮她把那两大袋空瓶罐拿到车里,开车到超市去卖。你别说,两大袋子空瓶子,有134个,一共卖了六块七毛钱。这个意外的收获让我们都很高兴。亮靓要拿出一半钱给我,我说:"妈妈不要这钱,你就都拿到学校去吧!"她和我争了半天,最后她说:"那好,妈妈,我留下五块带到学校,作为班里的活动经费。你帮了我这么多忙,这一块七毛钱,就算给你的辛苦费。"

那些年,亮靓除了卖过画和空瓶子,还和我们一起种过菜。种菜?你也许有些不相信,往下看你就知道了。当时我们住的研究生大院子里的管理人员专门划出一块空地,让研究生和他们的家属种菜。研究生们可以自己去申请、登记,然后,就会有一块属于你的地。这样,我们有了一块菜地,可以吃自己种植的新鲜蔬菜,太让人高兴了!我曾经下过乡,对种菜不陌生。但对于小亮靓来说,可不就是件新鲜事了嘛!她听到我们有了一块菜地,可来劲啦,挖地、撒种、浇水,什么都要学,都要干。有一段时间,她天天放学后,都要跑到菜地去,看撒下的青菜种长出来了没有?西红柿可不可以吃了?意大利瓜结了几个?……看到她对菜地这么有兴趣,我们就交给她一个任务,每天下午五点多钟,给那些蔬菜浇水。她很乐意做这事,每天按时浇水,看到那些菜啊瓜啊慢慢地在变大,她觉得可有意思了。因为圣地亚哥气候好,日照和水源充足,种下的蔬菜,不用加什么肥料,就长得很好。不久,亮靓就从地里摘回来几个成熟的西红柿,我洗了洗后递给她:"亮靓,你尝尝!"她边吃边评论起来:"妈妈,这个西红柿真好吃,有一种甜丝丝的味道……"

总之,小亮靓,这位曾经备受家里爷爷、奶奶和亲友们宠爱和娇惯的"小皇后",在这块异国的土地上,尝试自己"卖画",学习怎样"赚钱",还体验了"种菜"的滋味。呵!你不觉得小亮靓童年的生活是那样多姿多彩吗?

"妈妈,你应当付钱给我!"

我们从小在家里,做点家务事,照顾年幼的弟妹,觉得是理所当然的事,从来也没想到过要父母给什么报酬。可是我们的小亮靓,就曾经给我出了一道题,让我至今不知答案是否正确。

亮靓从五岁到十二岁,都是在加州大学的研究生的"大宅院"里长大的。除部分研究生是单身,多数都有家室有孩子。当时加州的法律规定,不准许家长将小于十一岁的孩子单独一个人留在家,因此,许多家长有事外出,就得请人帮助照看孩子。在研究生的大院里,大孩子,小不点儿都有,那么,请大孩子照看小不点儿的情况非常普遍,因为这样可以付较低的费用。这些"大哥哥"、"大姐姐"们照料小弟妹通常被称为"babysitter"。当佳俐和汉青相继出生后,亮靓自然成了大姐姐,她比佳俐大七岁,比汉青大九岁多。在亮靓过了十一岁生日后,我们有时有事外出,家里就全交给亮靓,由她照顾两个幼小的弟妹。在那同时,也常常会有别的研究生们,请亮靓帮助照顾他们的小孩。亮靓每次去干活,他们都会按小时付钱给亮靓的。在 90 年代初,在我们住的地方,照顾小孩一般一个小时是三块钱左右,随着时间的推移,物价变化,小时费也在增加,现在是七八块钱一个小时。亮靓性格活泼,能唱爱跳,在家里又照顾过弟妹,还没有语言障碍,很多研究生要找人照顾孩子,首先会想到要找亮靓,我们也放手让她去锻炼。

有一次,我们从外面回来,看到亮靓把妹妹、弟弟带得很好,我们也蛮高兴的,表扬了亮靓几句,随后我就到厨房里做饭。没想到,亮靓走过来,跟我说:

亮靓常常在家里照顾弟弟和妹妹。

这是亮靓一边写读书报告,同时也让小汉青和佳俐在一旁"观看和学习"。

"妈妈,我照顾佳俐和汉青,我是他们的 babysitter,你应当付给我钱。""什么?付给你钱?"我压根儿就没想到亮靓会跟我"要钱",还振振有词!但我很快地意识到她的要求也是"合理的",因为她给别的人家照顾小孩,人家都是按小时付费的,她自然觉得她照顾佳俐和汉青也应当如此。但是,这与我们中国的传统简直就是背道而驰!于是,我对她说:"亮靓,你知道,妈妈在家里,也是老大,从小也照顾过弟弟妹妹,我从来就没想到过找姥姥要钱。我觉得,姐姐照顾弟妹,是天经地义的事,因为我们是一家人,是有着血缘关系的,我们之间的关系是亲人,不是外人,是有区别的,你懂吗?"亮靓睁着大眼睛看着我,似懂非懂,我又给她解释:"亮靓,你还记得吗,你小时候,总是一个人,看到别的同学们都有弟弟妹妹或哥哥姐姐,非常羡慕,老是跟妈妈说'我要个小妹妹跟我玩',对吗?现在,你有了妹妹和弟弟,他们就像你的手和脚,是和你连在一起,他们是你的亲人,你是他们的大姐姐,知道吗?你照顾他们,和他们一起玩,不是应当做的事吗?再说,你看,爸爸妈妈生育你们,抚养你们,我们提到过你们长大后工作了,要付钱给我们了吗?从来没有!为什么?因为你们是我们的子女,我们是亲人,养育你们这是我们的责任!同样的道理,佳俐和汉青是你的弟弟和妹妹,他们不是你看护的'大卫'和'苏姗',你明白吗?"亮靓点点头,但她又问我:"上个星期五晚上,我的同学凯丽的爸爸妈妈出去吃晚饭,凯丽在家照顾她妹妹,她妈妈回来后,给了她十块钱。凯丽和她的妹妹也是亲人呀!"我笑了,这时,我大概知道了亮靓来找我要钱的原委了。我说:"亮靓,你说的没错,妈妈也知道,在很多美国人的家庭里,他们的孩子在家里洗碗,清理自己的房间,照顾弟妹,家长都会付钱给他们,这是一种美国的文化。可是,爸爸妈妈和你,我们是从中国来的,我们的传统文化不是这样,我们认为照顾年幼的兄妹和年迈的老人,是一种责任和义务,是不可以用金钱来衡量的……"我又对亮靓说:"妈妈不会付钱给你照顾弟妹,我觉得这是你作为大姐姐应尽的义务。但是,你需要用钱时,妈妈会给你钱的。比如说,你学校组织的各种参观、游玩活动,你的生日派对、学习用品,你要送同学的生日礼物,你和同学去看电影,等等,妈妈都会让你去,给你买,帮你付这些费用,对吗?"亮靓没再说话……从那以后,亮靓一直是我的好帮手,她经常在家里照顾弟妹,从未再提过付钱的事。

那么,佳俐和汉青是否也有类似的情况呢?亮靓上大学时,佳俐和汉青也都大了,而且,他们俩年龄相差不大,就互相照顾。因为有了亮靓的先例,当他们俩开始做些家务事时,我就事先给他们打了"预防针",让他们知道这是我们家的规矩,这样,他们俩是该干什么活就得干,没有出现在家里干活要付钱的事。只是当汉青上了高中时,他和周围邻居的男孩子们一样,到了春夏秋三季,都会帮助割房前后院草地上的草。有一天,他看到对门的汤姆在割草,对我说:"妈妈,你知道吗,汤姆每次割草,他父母给他二十五块钱。""是吗?二十五块钱?不少啊。""那比起请外人割草,还是便宜些。外边人割草,至少要付三十块。""那你是不是也想妈妈给你付点钱呢?"我反问汉青。汉青说:"不是。我不要你付钱给我。""真的吗?为什么呢?""当然是真的啦。因为你不知道,除了割草,汤姆还帮家里洗车,洗一辆车,他父母给他十块钱。他们家里有两辆车,这样,他一个月割两次草,洗一次或两次车,他每个月可以挣七八十块钱。"我是第一次听到汉青说这事,还真的很感兴趣,就说:"哇,这样算起来,汤姆每年也可以挣不少钱了?"汉青看了看我说:"是啊,好几百块钱。不过,……"他停下来,不说了,我急着问他:"不过,不过什么?快告诉我。""不过,他得用这些钱买他自己的衣服、鞋子和其他用品,也包括看电影等。这样,他挣的钱几乎都花了,实际上存不了什么钱。""唔,原来是这样。"我听完汉青的这番话,觉得汤姆的父母这样做,让孩子们用自己劳动赚的钱,买自己需要的东西,同时也学会自己管理自己的账户,实际上是个很好的方法。我对汉青说:"妈妈以前不知道这事。我现在仔细想了想,汤姆的父母用这种方法教育孩子挣钱和管理钱,这倒是一个好方法,你要不要试试?""我不要了。""为什么?""你不是说过我们和美国人有不一样的文化嘛,不一样就不一样,有什么关系?再说,亮靓和佳俐,都没有这样做,我要是这样做,对她们来讲,是不是不太合适?"嘿,我真没想到这小子会这样说,说得我无话可答。我心里想,他长大了……

你也许会问:"你平时给他们零用钱吗?"我们一直没有专门给过他们零用钱,只是在每年的春节,按照中国的传统习惯,我们会给他们每个人一个红包,小时候是五块,大点了是十块,高中后,是二十块,仅此而已。谈到红包,我想起了汉青跟我说的一件事。那是他在高中上中文课时,谈到中国的新年,老师在课堂上讲到中国过年的风俗,提到了红包。老师就问班里的学生:"你们的父母给你们红包吗? 一般给多少钱呢?"很多同学都说:"五十","一百",有个孩子说:"我的奶奶给我八百八十块。"轮到汉青了,他毫不隐讳地说"二十块"。如此反差,同学们都很惊讶。汉青告诉我:"我一说二十块,班里一下子静下来了。我知道我的红包在班里是最少的,不过,我不在乎! 我实话实说!"不知为什么,当时我听他这样说,我的眼眶竟然湿润了,我心里为他能有这种勇气而高兴!我说:"儿子,好样的! 你就是你,不在乎别人怎样看你! 不和别人比这些……"实际上,汉青上高中时,我们家里的经济条件是不错的,但是,为了让他们能够养成勤俭奋斗的好习惯,我们还是"狠心"地要约束他们。

当他们十六岁,会开车也能合法打工后,暑假里,他们都先后在餐馆和商店里打过工。那时候,我们给他们每个人开了一个银行账户,让他们把打工的钱存起来,留着上大学用。他们一点点积攒,每个人到上大学离开家时,银行里都存了两三千块钱,作为上大学时的零用钱。我们为了支持他们上大学,给他们付学费和生活费,其他的费用,就让他们用自己的劳动去获得。

如今,当我反思这些事时,我在想,如果当初我能够把中国人的好传统和美国人汤姆的父母对孩子的那种教育方式相结合,是不是一种更好的培育子女的方法呢? 我的孩子们都大了,离开家了,亮靓的这一道题,看来是有多种解法,那就留给你去思索解答吧!

佳俐出生后……

我们的三个孩子,亮靓出生在中国的首都北京,佳俐和汉青出生在美丽的加州圣地亚哥海滨。虽然佳俐和汉青出生在同一家医院,而且这还是一家当地比较好的私立医院,选择这家医院,是因为离我们的住处近。但是,因为我们买的医疗保险不一样,所遇到的境况也就大不相同。当年,为了小婴儿佳俐,我居然和医生吵翻了!别说你不会想到,就连我自己也没想到,当时的我,怎么会这么大胆?

那是 1988 年,我先生在加州大学读博士学位。不用说,"穷学生"是"穷"字打头,每月的收入自然有限,因此,在我怀孕时买的是一种最基本的医疗保险。临产的那天,早上 5 点多钟被允许住进医院的待产室,一个多小时后,早上 7 点33 分,小佳俐来到了人间。因为是顺产,医生和护士给我和婴儿做完必要的检查和观察后,当天晚上 8 点 30 分,就让我抱着孩子坐到轮椅上,护士推着我到医院门口,由先生接我们回家。

第二天一早 8 点 30 分左右,医院的护士来到我们家里,给小佳俐做必需的医疗检查,告诉我们,小婴儿一切正常,但是,要我们当天下午带着她去医院抽血,化验其他项目。我们遵照医生的嘱咐,按时抱着孩子去医院的化验室。当我看到护士捏着孩子的小脚,一针刺进去,鲜红的血涓涓地流进一个玻璃管,眼看着玻璃管快满了,没想到,那护士赶紧又换上另一个玻璃管,又抽了一管鲜血。当时,看着那一滴滴鲜血流到试管里,我的心也在滴血!我实在是看不下去,也实在是不忍心再让他们抽血,这是一个出生还不到两天的孩子呀!……

两天后,护士打电话来,是我先生接的。她问我们:"看没看到化验报告?"先生说:"我们看过了。"护士说:"你孩子的黄疸指数偏高,明天要带她来医院,再做一次抽血化验,看看是否要用其他方法来处理黄疸。"当先生告诉我,说护士要我们再带孩子去抽血,我想都没想,就说:"又去抽血?不去!"先生说:"这可是护士的电话,她叫你去,你不去?"我说:"不就是检查黄疸吗?中国婴儿出生后,短期内都会出现黄疸,没什么大不了的,我不去!"先生看我这么果断拒绝,就告诉护士:"我太太说,孩子其他方面都正常,只是黄疸指数偏高,就不去检查了。"护士一听说"不去检查",她也急了,说:"那不行!我去告诉医生!"过了一会儿,电话铃又响了,是医生打来的,他问我:"为什么不带孩子来做抽血检查?"我说:"我看到了你们的检查报告了,小婴儿的黄疸指数有点偏高,但只是在正常的范围内有点偏高。孩子太小,我不忍心再带她去抽血。"医生说:"你知道黄疸高对孩子的身体和智力发展会有影响吗?"我说:"我知道一点。"医生又说:"你知道,你不带孩子来检查,如果出现问题,是你的责任,你要负责!我们不负任何责任!你听清楚了吗?!"听到医生很生气和严厉的口气,我也不示弱,我说:"你放心,我不会找你的麻烦!我会自己负责的!"

　　放下电话后,我的心里倒反而有点后怕了。我先生对我说:"你哪来那么大火气?你这下把医生给得罪了,如果真的出现问题怎么办呢?"我说:"我就是无法再看到他们从出生才几天的婴儿脚上抽血,而且一次就是抽两管血。我知道小佳俐的黄疸指数不在危险范围内,应当不会出什么大问题。我每天给她晒太阳,这就等于国内的医院给小婴儿照紫外光,慢慢黄疸会褪掉的。亮靓生下来时,不是也有黄疸吗?医生不就是把她放在婴儿室,照了五天的紫外光,等黄疸褪了,才让我们母女出院的吗?"我先生只好说:"我反正不懂,你就看着办吧。"我虽然不是医学院毕业的,但因为国内的亲戚中有不少都是学医的,我从小在那种环境中长大,耳濡目染,多多少少了解一点基本的医学知识,加上佳俐又是第二个孩子,对于这种婴儿在出生后短期内都会出现黄疸指数偏高的现象和处理方法,我多少也知道一点点;问题的关键是我内心就是舍不得让那么小的婴儿,一次次去抽血,于是斗胆顶撞了好心而又负责任的医生和护士,仔细想想,我是不该那么直接地回绝医生。但是,说出的话覆水难收,我酿的苦酒必须自己喝,我应承担责任!

于是,我把小佳俐的化验报告又拿出来看了看,然后赶紧给我的曾经在国内当过医生的好朋友打电话咨询。我朋友听了这情况后,告诉我:"不用担心,孩子的黄疸指数有点偏高,但不是那么高,另外,孩子其他的检查项目都正常,你就每天让她晒晒太阳,等于给她照紫外光,一个星期后,黄疸应当会减淡和慢慢消失。如出现什么问题,随时打电话给我。"有好朋友的这番话垫底,我心里不慌了。于是,我每天上午和下午把小佳俐放到有太阳的地方。南加州是个阳光充足的地方,我每天给她晒太阳,每天观察她的身上和小脸,每天看到她的黄

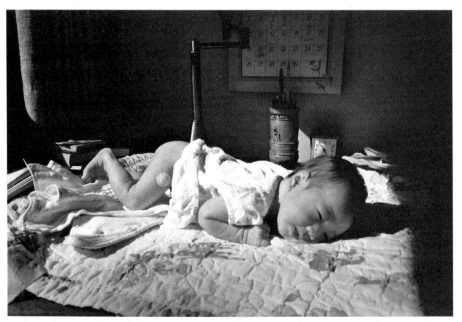

让南加州明媚的阳光,晒褪小佳俐身上那恼人的"黄疸"。

疸在慢慢地减少,我心里的担忧也渐渐地消失。为了让小佳俐长大后知道她刚出生时的这段小插曲,我用照相机拍下了才几天大的小佳俐被我放在他爸爸的书桌上接受太阳照射的照片。大概也就过了六七天吧,小佳俐身上几乎看不到黄疸了,皮肤变得红彤彤的。

　　一个月后,按照医院的规定,我们带小佳俐去医院做身体检查。这次是另一位儿科医生给小佳俐检查身体。检查结果各项指标都正常。在圣地亚哥明媚的阳光雨露沐浴下,小小的佳俐,活泼健康地成长,越长越可爱……

有这种好事？

　　我想，我和大多数做父母的心理一样，有了女儿就想要个儿子，加之我先生是家里的"单传"，自然盼望有个儿子了。可是，在科学技术尚未发达到可以从基因配对来选择胎儿的男女性别的时候，也只能是一切随缘。在佳俐出生后，我们是很想要个男孩，但是我和先生有个约定：不管是男孩女孩，"事不过三"。这次我怀孕，买的医疗保险比上一次好点，当时是想至少孩子出生后，可以在医院里住三天，不至于再出现类似佳俐出生后的那种情况。但让我们没想到的是竟然遇上了这样的好事……

　　在这里，年龄超过三十五岁的孕妇就算高龄孕妇。因此，对高龄孕妇除了定期的超声波检查外，还要做羊水穿刺检查，以便了解胎儿的发育正常与否。医生告诉我，在怀孕三个月后，要给我做羊水穿刺检查。我心里挺矛盾，不做吧，怕胎儿有问题；做吧，又担心万一针尖伤着胎儿怎么办。经过医生的解释和看了一些资料，我同意做这种检查。一个多月后，护士打电话给我："告诉你一个好消息，胎儿一切正常。"并问我"要不要知道胎儿的性别"？我说："我当然想知道！"你猜她说什么？"是个男孩。"她接着又重复一遍，"真的，是个男孩！"听到这个消息，我们自然很高兴，尤其是在有了两个女儿后又有个儿子，怎能不让我们和孩子的祖父母们开心呢？可是，你知道吗，我的那些美国孕妇朋友们，她们中的大多数都不想提前知道孩子的性别，要把这个"惊喜"留到孩子出生的那一刻。

　　我按照医生的嘱咐定期去做检查。离预产期还有三个星期时，医生在给我检查后,跟我说:"从现在的情况来看,胎儿发育正常。只是相对于你的体型,胎儿稍微大些;再考虑到你的年龄,你是否愿意在下个星期提前做引产?"我有点不明白医生的话,就问:"做引产? 为什么啊? 胎儿的发育不是都很正常吗?"医生说:"我主要是担心孩子比较大,根据你的身体和年龄情况,我怕孩子出生时不一定会顺利。"我又问:"那么,现在胎位正常吗?"医生说:"胎位现在看来已经是在正常的位置,没有什么问题。"我毕竟是两个孩子的妈妈,而且都是顺产,多多少少也了解一点这方面的基本常识。我想,既然胎位正常,胎儿发育正常,就是因为高龄,就是因为孩子偏大,要做引产? 医生们如此谨慎,如此负责,如此周到,让我既感激又有点矛盾。但是,由于小佳俐生黄疸的教训,我还是语气缓和地和医生商量,我说:"我想回家后和我先生商量一下,再给您回话,好吗?"医生答应了。

一个星期后,我又去看医生,见面后我对他说:"我和我先生商量了做引产的事,我们觉得,离预产期还有一个多星期,是否能等到预产期那天,再考虑引产呢? 不过,我的前两个孩子都是顺产,而且,第二个孩子与现在这个,只相隔两年多点,可能孩子出生时不会那么难吧? 我想等一等,看看情况再决定。"医生听我这么一说,也就没再说什么。

也许是这小子不想让妈妈为难,也许是他自己也不愿意有太多的钳子、夹子去碰他,就在到了预产期的那个星期,也就是在我要去见医生的前一天夜里,阵痛开始了。从发作到他的降临,前后一共不到三个小时,如此之快,如此顺利,是我从未有过的! 凌晨一点多钟,他奋力冲出母体,随着一声响亮的哭声,迎来了医生和护士们的欢笑声、祝贺声。一个健康的胖小子,来到了我们的身边……

医生和护士们很高兴地祝福我们:"一切顺利!"并且还告诉我先生,让他回去把家里人请来,因为当天晚上我们能在房间里品尝医院赠送的免费"龙虾大餐"。这可是我们万万没有想到的事! 免费龙虾? 怎么会有这种好事?!

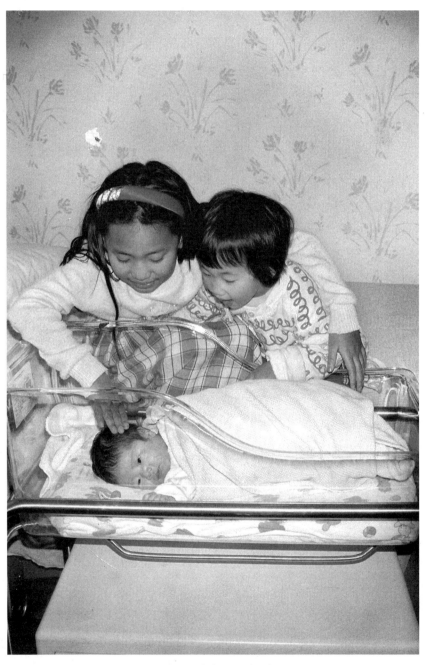

"啊！小弟弟！"两个姐姐好奇地看着刚出生几个小时的小婴儿。

当时,我的母亲正好在圣地亚哥帮我照顾小佳俐,那天傍晚,她就和我先生和女儿们一起来到我住的病房。巧的是,本应是两个人住一个房间,结果那天没有那么多产妇,我就单独住一间。这样,老人、先生和孩子们来探望当然是很方便。大概晚上六点多钟,"咚、咚、咚",有人敲门,开门一看,是医院的两个服务员推着一辆餐车进来。他们先在小圆桌上摆好洁白的桌布,再放上一瓶花,拿出葡萄酒和酒杯,又把沙拉、煮好的两只大龙虾及蔬菜、面包一起摆到桌上,然后说:"请享用!"就关了门出去了。"哇!真是两只大龙虾!"看到这些,我们都有点傻眼了,我们都是第一次在医院里见到这样的服务和品尝这种别有风味的晚餐。我母亲更是有所感触,在她的有生之年,还是第一次看到这些!当然啦,惊奇归惊奇,我们还是很开心地吃起来。我问先生:"这是怎么回事呢?如果医院这样请每个产妇,医院不会亏本吗?"他说:"这还不简单吗?'羊毛出在羊身上',钱还不是从我们买的医疗保险里出的吗?你以为医院真的不收钱,真的是免费请你吃龙虾晚餐啊?"经先生这么一说,我明白了。"不过,"我说,"他们还是很会做生意啊!反正你吃的开心,下次再生孩子或看病,首先会想到再来这家医院,条件好,服务又好,干吗不来呢?""哈哈,你还想再要孩子吗?"先生挑战我,我赶紧改口。我妈妈也说:"即使是'羊毛出在羊身上',这样做,还是让产妇和他们的家人感到很温馨啊!"

除此之外,还有一件事更为珍贵。那就是分别在佳俐和汉青出生后的一个多月后,我们收到医院寄来的小包裹,打开一看,竟是一只用特殊高温陶瓷做的非常精致的小鞋!在鞋的周围,写有孩子的姓名、出生的时间、身高、体重和出生的年月日;鞋底写有接生的医生姓名和医院名称。所不同的是,因为佳俐是小姑娘,小鞋上绘有粉红色的花和丝带;而汉青是男孩,小花朵和丝带则是淡蓝色的。在盒子里有一张小小的卡片,上面写着:"这是一件手绘瓷器的传家宝。它的工艺流传至今已有两千多年了。这是艺术家们反复绘制,然后在接近 1 400

度高温下制成的。珍惜它！它是你的有价值的传家宝。"是的,我们,孩子们,都会永远永远地珍藏这个难得的传家宝!

　　光阴似箭,一晃二十多年过去了,那个"顺其自然"来到人间的小汉青,如今已长成健壮的小伙子了。当年的一张张照片和那珍贵的小鞋,记录了这非同一般的有趣往事……

沐浴着温暖的阳光,小佳俐和小汉青在研究生的大院里健康地成长。

我们的房客

　　这是一个过去人们通常难以启齿的话题，可是偏偏让我们碰上，也因此让我们有机会了解芸芸众生的大千世界是那样多姿多彩。

　　那是 1986 年秋，我们从美国中西部的堪萨斯城搬到了西海岸美丽的海滨城市——圣地亚哥，我的先生将要在加州大学圣地亚哥分校读博士学位，我们因此住进了学校给研究生家庭提供的研究生住宅区。那是离海边不远的一栋栋咖啡色的两层小楼的楼群，每栋小楼依地势此起彼伏，四周环绕着南方高大的棕榈树，绿色的草坪和热带地区特有的鲜花，还有两个专供孩子们嬉戏的"儿童乐园"。这优美舒适的环境，不但深深地吸引了我们，更让才五岁多的小亮靓欢欣不已。

　　和多数研究生一样，我们分的住房也是两室一厅，但是每间房子都很宽敞明亮。那时候亮靓还小，我们准备自己住一间，出租一间，这样可节省一半的房租。由于学校照顾研究生住房，房价比周围居民的住房相对要便宜很多，所以很好出租。第一位房客是加州大学的大学生，住了一年，毕业后便离开了，于是，我们又准备找新房客。当时有好几个加大学生在找房，其中有一位美国女孩，个子高挑，有一头美丽的黄头发和一对蓝眼睛。第一次见面，她那温和而又彬彬有礼的言谈给我们留下良好的印象，我们就选择她为房客，她的名字叫安妮。

　　那是 1987 年秋，安妮搬来了。她很喜欢正在上小学一年级的小亮靓，当她有时间的时候，便和小亮靓一起玩拼图的游戏，偶尔会跟小亮靓一起看电视。

我们有事外出,只要安妮在家,我们就尽管放心出去,她会关照小亮靓。安妮喜欢吃饺子,每次我们做饺子时,总是叫她一起吃。如果她不在,也会专门留些给她。当然,每到周末,安妮会有很多朋友来找她,通常她们都是在安妮的屋里聊聊天,然后出去玩。有时我在家,也和她的那些朋友们聊几句。她们有的是大学生,有的已经在工作,都是很有教养的姑娘们。几个月很快过去了,大家相处得很友好,也很愉快。她圣诞节回家后,还专门给我们寄来了圣诞礼物。

在1988年2月的一天,在安妮和亮靓都上学去后,我先生悄悄地对我说:"告诉你一件事,安妮是同性恋!"我以为他在跟我开玩笑,就说:"你可别瞎说!什么同性恋?"先生却一本正经地说:"昨天晚上,你和亮靓都睡了,安妮从学校回来后,看到我在看书,就问我有没有时间,想跟我说件事。我看她挺认真的,就放下书,听她说。原来安妮是想告诉我,她是同性恋。她说经过这么长时间相处,她和她的朋友们都觉得我们是很好的人,不想再对我们隐瞒真实情况,尽管她的朋友们开始很反对她告诉我们,认为我们是中国人,不会理解她们,让她别自己找麻烦。并且还劝她说,如果我们知道她是同性恋,不让她住在这里,怎么办?确实,因为那个年代,人们对同性恋者还是颇有微词的。但是安妮说,她认为我们都受到过很好的教育,她相信我们,她要告诉我们,否则自己心里感到对不起我们。她还详细地说了她是怎样发现自己是同性恋以及家里人对她的态度,我们谈了两个多小时。"听先生这么一说,我心里非常震惊,我无法相信这是真的,说:"这是真的吗?是不是她自己猜想的?"先生一本正经地说:"不是,安妮说她从小在幼儿园时,就喜欢和长得漂亮的小女孩一起玩。以后大了,在小学和中学时,也是喜欢和女同学一起。上高中时,也交过男朋友,而且还不止一个,后来还和男朋友有过性关系,可是心里感觉总是不好,对男孩子始终没有什么大兴趣,在内心深处还是喜欢女孩子……"听先生这么一说,我还是难以理解,安妮,这么一个聪明、善良、美貌的窈窕淑女,会是同性恋?!她和我们看似一样,却又是那么不一样!那是80年代,我们又是才来美国不久,"同性恋"这个名词,对我来讲还是比较陌生。当我冷静下来,仔细地回想,从认识安妮到现在,安妮在我们这里住了半年多,我从没见过一个男同学来找过她,原来以为她还年轻,没交男朋友,谁会想到……虽然从那以后,我们和安妮以及她的女朋友们依然如同过去一样,见面互相问好和谈笑风生;但在我心里,总是有种难以言述的感觉。当时,亮靓还小,我们没有告诉她安妮的情况。

转眼间到了 4 月份,学校放春假,我们想利用那段时间去旧金山和优胜美地国家公园看看。安妮不准备出去,想利用假期时间写她的毕业论文。她的父母住在旧金山,她给家里打了电话时提到我们要去那里,她的父母听后表示欢迎我们到他们家里去留宿。安妮的父亲是位机械工程师,妈妈是护士长,在当地一家大医院里工作,他们是属于美国的中产阶级家庭。他们的房子盖在半山腰上,站在客厅的大玻璃窗前,可以看到远处的旧金山大桥。优美的自然环境和室内优雅整洁的摆设,让人一进门就有一种安逸舒适的感觉。安妮的父母很热情地招待了我们。晚上吃完晚饭,大家在一起很愉快地聊聊天。小亮靓喜欢他们家的小狗,就跟着安妮的父亲出去遛狗,屋里就剩下安妮的妈妈和我们。安妮的妈妈对我们说:"安妮说,她已经告诉了你们她的情况了。"我说:"是的,我们都知道了。"她说:"安妮是上大学后,才告诉我们的。开始,我们心里是挺难受的,一时难以接受这个现实。你们知道,安妮是个很聪明的孩子,各方面能力都很强,长得也很出众,为什么会是这样? 后来,我们还去找心理医生咨询,才慢慢地接受了这个事实。作为母亲,我可以理解她,包容她,可是她爸爸,至今说起安妮仍有些不开心。好在安妮的妹妹和她不一样,她在东岸上大学……"听着安妮妈妈的话,我心里久久难以平静。那天晚上,我们俩被安排住在他们家的客房,小亮靓则住在安妮的屋。虽然周围是那么安静,屋里是那么舒服,我却难以入眠……

弹指间,十年过去了。1998 年,我们住在在缅茵州的一个被称为"水村"的小城镇里,我先生在那里的大学教书,小亮靓已经是高中三年级的学生了。一天,亮靓回来告诉我,班里很多同学都在议论,说某某"好像是同性恋"。我问亮靓:"那你怎么看呢?"她说:"我不了解那个同学,我只是听别人议论。"那是我第一次听亮靓提到学校里高中学生的"同性恋"问题。尽管那时已是90年代了,"同性恋"三个字不再是那样让人们忌讳,电视、广播、报纸也常常会讨论有关"同性恋"的事,人们也越来越普遍地接受了这一事实。但是,在美国的小城镇,在我们居住的小地方,我已经从和我一起工作的同事们的言谈话语中,感觉到当地人对"同性恋"的看法还是不像大城市里那么开放。于是,我对亮靓说:"你还记得你小时候,我们住在圣地亚哥时的房客安妮吗?"亮靓说:"我记得。安妮和我玩得很好。有时你们不在家,她就照顾我,我们还去过她父母家,我还记得他们家的小黑狗。"我说:"对了,就是她!你知道吗,安妮是同性恋。""真的啊?!"亮靓似乎不相信!于是,我就把当年事情的来龙去脉详详细细地都告诉了她,并且说:"当初是因为你太小,我们没有跟你说,现在妈妈全告诉你,你知道为什么吗?"亮靓说:"我想,你是要我不要看不起他们,歧视他们,是吗?""是啊,亮靓,妈妈是希望你要学会理解他们。他们和我们是有所不同,但作为人,都是一样的。就像安妮,如果妈妈不告诉你她的事情,你绝不会想到她是同性恋,对不对?"亮靓点点头,并且问我:"其实,我挺喜欢安妮的。记得那时候,你们有时外出办事,就是她照顾过我.那么,安妮后来去了哪里?"我说:"安妮是学生物学的,她大学毕业后,到德州的一家公司工作。再后来,大家都忙,也就失去了联系。"

当时间的脚步进入了21世纪,我们搬到了科罗拉多州的丹佛市,这是靠近美国西部的一个省会城市。这时,亮靓已上大学了,佳俐和汉青也长大了,在这里的学校读书。佳俐高中毕业的前半年,她的同学和朋友们经常到家里来玩和开生日派对。有一次,当同学们都走了后,我对佳俐说:"我看白蒂和尼克关系很好,他们两家父母又是好朋友,如果他们俩今后能够结合,那不是很好的一对吗?"我没想到佳俐突然笑了,笑得让我有点费解,我又解释:"可不是吗,用我们中国人的话来说,他们俩是青梅竹马,男才女貌,天生的一对!"佳俐这才止住笑,对我说:"妈妈,你在瞎说什么呢,尼克是个同性恋!""什么!? 我怎么从来就没听你说过呢?"我问佳俐。佳俐说:"这还用说呀,你看不出来吗?"我压根就没想到,还可以看出谁是同性恋? 我说:"我可不知道怎么看出来? 怎么看呢?"佳俐说:"我也解释不好,但是,有的人是同性恋,外人是可以看出来的。我们学校里,有不少同学是同性恋,这没什么大惊小怪的,所以,我就没想到要专门告诉你尼克的事。对了,妈妈,你还记得有个男孩,刚才一进我们家就用中文跟你说'你好'的那个男孩吗? 他也是同性恋。"汉青听到我和佳俐的谈话,也对我说:"妈妈,你不是认识我的朋友杰森嘛,他的哥哥是同性恋。""是吗? 那杰森呢?""他不是。"我没想到,如今的佳俐和汉青,谈起这些高中同学和朋友中的"同性恋"是那么轻描淡写,就像谈论天气一般。

是啊,在 20 世纪 80 年代,"同性恋"虽然只是普普通通的三个字,却有着与当时社会伦理悖逆的含义,可当时我们居然结识了它。随着时间的推移,时代的前进,人们的观念也在改变,社会也日益开放和包容。现在,在亮靓、佳俐和汉青的同学、同事和朋友们中,有的人是"同性恋",但这不影响他们的正常交往,他们相处和睦,在一起学习、工作和玩乐……

戴比一家

我们的孩子,生长在中国家庭,虽然在美国读书,对美国的文化是有一定的了解,但毕竟还是非常有限。1986年秋,在学校组织的国际学生和社区交流的活动中,我们认识了戴比和她的先生弗瑞德一家人。从那时到现在,这二十多年的交往,让我们彼此交流和了解了对方的文化;戴比夫妇就像孩子的祖父母一样关心着这三个孩子,对他们的成长有着非同一般的影响。

这是一个什么样的家庭,你一定很想知道吧?我们认识戴比时,她是一位幼儿教师,她那亭亭玉立的身材,清秀的面容,温和娴熟的气质和平易近人的谈吐,一下子吸引了我们。她先生弗瑞德是当地一所高中的图书馆管理员,高大英俊,比较寡言。那时,他们的大儿子在纽约的音乐学院上大学,小儿子和女儿都是高中生,也长得高大、健壮、热情,没五分钟就和亮靓混熟了。

从1986年到1993年,我们住在圣地亚哥的7年间,每年从1月的新年,2月的情人节,3月的圣帕垂克节,4月的复活节,7月的独立节,9月的劳动节,10月的万圣,11月的感恩节,12月的圣诞节,我们都会应邀到戴比家去过节。我还记得第一次到戴比家过感恩节,刚进门,就看到屋内四周全是用秋天里特有的橘红、橙黄、金黄、淡黄色枫叶装饰起来,桌上的大花篮里摆满了各种象征着丰收的干果和新鲜水果,以及不同形状的金色小南瓜。环绕着这些瓜果的是身着不同服饰、不同形态的印第安人小塑像。当戴比从烤箱里端出烤得香喷喷的酱黄色的20多磅的大火鸡时,我们这些第一次看到如此之大的火鸡的外国人都惊讶不已。随着火鸡端上桌子,乳白色的土豆泥,红黄色的红薯片,绿油油的四季豆，淡黄色的玉米粒，嫩绿色的芥蓝花菜，混杂着各色蔬菜的沙拉和大小不等的各种沙拉配料，加之刚烤好的牛角面包，全都摆到了桌子中央。我们望着这色、香、味俱全的火鸡大餐，想到主人们为准备这么丰富的晚餐所付出的劳动，大家情不自禁一起举杯感谢主人们的盛情款待和辛劳。席间，弗瑞德问亮靓："亮靓，你知道为什么叫感恩节，为什么感恩节要吃火鸡、玉米和番薯吗？"亮靓便很高兴地把在学校学到的有关当年印第安人和早期欧洲移民怎样庆祝丰收和互相感谢的历史叙述了一遍。亮靓说完，弗瑞德和戴比都称赞她说得好，她很得意。看到亮靓喜笑颜开的样子，我想，在我们家里就缺少这种适时鼓励孩子的习惯。你可别小看这几句赞扬话，实际上能大大增加孩子的自信心。那时，每次到戴比家，正是这种看似平常的节日庆祝和餐间闲聊，不但让我们，也让孩子们，在轻松愉快的谈笑间，对美国文化有了进一步认识。

　　我们除了每逢节日就像回父母家一样到戴比家去过节，我们每个人的生日，戴比也了如指掌。在她家的挂历上圈着我们每个人的生日日期。3 月 17 日是亮靓的生日，这在中国是个很平常的日子。来美国后，我们才知道这天还是爱尔兰人的节日"圣帕垂克节"。还记得那是 1987 年 3 月中旬的周末，戴比要我们到她家去给亮靓过生日。我们刚下车，就看到戴比和她女儿都穿着绿色的衣裙在门口欢迎我们。哇！她家里的餐厅四周墙上全都用绿色宽边彩带和气球装饰起来，正面墙上挂着两个孩子跳舞的造型，和用深浅两种绿色亮纸剪成的三瓣花型组成的"生日快乐"的条幅，桌子上也摆着三瓣花型的绿色盘子和餐巾纸，桌子中央还摆了好几个不同姿态的身着爱尔兰服装跳舞的儿童，在让亮靓坐的椅子上还系了一个印有"生日快乐"的绿色大气球。原来，代表希望的绿色和代表幸运的三叶草是庆祝"圣帕垂克节"的特点。看到这些，六岁的亮靓高兴地叫起来并紧紧拥抱戴比，连声说"谢谢"，这是她有生以来第一次这么正式地庆祝生日！她的生日蛋糕也有由绿色的三叶草组成的图案。生日礼物中的由三叶草组成的胸针和耳环，也成了她每年 3 月 17 日必戴的纪念品。我们住在圣地亚哥的七年里,三个孩子每年都会欢庆两次生日,一次是在自己家里请同学们的派对,一次就是到戴比家里庆祝生日。即使我们离开了圣地亚哥,我们每个人总会在生日前夕收到戴比寄来一份小的生日礼物。礼物虽小,却是情深义重,而且这么多年从未间断过。当然,我们的孩子,在他们离开家去上大学之前的18年里,他们每个人生日的那天早上,我都会按照中国的传统习惯,煮一碗青菜鸡蛋长寿面给他们吃。

我们每个人都有自己的生日,这是我们人生中的重要的日子,可是,由于多种原因,我们常常忘记了自己的生日。我过去就没把生日看得那么重,也很少过生日。自从认识戴比一家人后,每年我们全家人的这看似寻常的生日庆祝,总让我们这些远离父母的海外游子们,感到了一种亲情的温馨。同时,也让我们想到,日月如梭,年复一年,要好好地珍惜眼前的一切。

由于戴比和弗瑞德都在学校工作,他们对孩子们的教育一直很关心。戴比看到亮靓每次到她家,总是喜欢去弹钢琴,曾经很委婉地提醒我:"让孩子从小学点乐器或舞蹈,对她们的成长有利。"其实我心里也清楚这些,可买钢琴,请老师教弹钢琴,这笔费用在当时实在是让我们难以承担。当我了解到学跳舞收费较低,加之女儿也很喜欢蹦蹦跳跳,便送她去学芭蕾舞。后来亮靓上小学三年级时参加了学校的乐队,开始学习拉小提琴。戴比了解我们家的经济情况,每当她看到适合孩子们看的电影、歌剧、舞剧和芭蕾舞表演,总是自己买票带孩子们去看。他们给孩子们生日和圣诞节礼物,多数都是启示孩子智力发育和训练动手能力的玩具,如积木、拼图、小魔术等。戴比家买了圣地亚哥动物园、野生动物园、海洋世界和博物馆的年票。有的周末,她会带孩子们去这些地方。更难忘的是,他们给孩子们订了一份儿童杂志,长达十年之久,这份杂志一直陪伴着他们从小学到高中。还记得亮靓上小学三年级时,快放暑假了,戴比打电话给我,说是她家里存有两大纸箱她们的孩子们小时候念过的书,其中有一些是美国经典的儿童文学读物,她想把这些书拿来给亮靓和佳俐读,问我是否介意那些都是旧书。其实，我是感谢还来不及呢，旧书和新书有什么关系？对美国的儿童读物，我实在是门外汉，知之甚少，真是要谢谢戴比处处为孩子们着想。当戴比把书拿来时，亮靓刚从学校回家，她一看到这些书，高兴得直拍手，指着其中两本书说："太好了，这两本书正是老师要我们暑假念的书！"这两纸箱子儿童书籍，亮靓先读，佳俐和汉青接着读。这些书，给他们的童年带来了珍贵的精神食粮。

对于我们做父母的来讲，还有什么能比为孩子们提供精神食粮更重要，更让我们心存感激的呢？我们深知，戴比夫妇并不是富裕人家，他们这样尽力帮助我们却从不求回报，用他们自己的话说："让我们的孩子们能够不受家庭经济条件影响，也能够从小受到多种文化的良好熏陶，很好地成长！"

除了对孩子们，戴比对我们，对我们的家人，也都是关心备至，件件往事，难以在此言述。在我的心里，戴比是我们在任何情况下都可以信任和依赖的人，尽管

在美国的学校，从小就比较重视孩子的课外阅读。

她是一个普通的美国人。从1986年到现在,20多个春秋过去了。我们也先后辗转居住在美国的不同地方,可是,戴比一家人,始终和我们在一起。他们始终关心三个孩子的生活和成长;孩子们的点点滴滴,通过电话和邮件,他们都了如指掌。这么多年了,孩子们到生日时,无论在哪里总是能收到戴比的祝福;圣诞节也从未遗漏过一次给我们寄来他们的美好祝愿和礼物。我们搬到丹佛后,每年可以相聚一次。现在,他们年龄大了,我们有时间时,会在节假日去圣地亚哥看望他们……

二十多年前,我们有缘和戴比一家人相识;二十多年间,他们亲眼目睹一个中国留学生家庭的变化。从独生女小亮靓,到佳俐、汉青的相继出生;从小婴儿、小学生、中学生到大学生、研究生,他们就像我们的亲人一样,一路看着三个孩子长大,一路陪伴在我们的身旁!正是这样一个普通的美国家庭,正是他们的真诚和关爱,让我们,尤其是三个孩子学到了许多书本上无法学到的美国文

看!戴比和她的女儿艾蕊与孩子们在一起,玩得多开心!

化和真诚助人的精神。和戴比一家的交往，对孩子们的成长和融入美国社会，无疑是起到了举足轻重的影响。

戴比夫妇近期的合影。

　　从1986年8月到1993年8月，我们在美丽的圣地亚哥海滨度过的7个春秋。这7年，是那样地非同寻常！佳俐和汉青就出生在这里，亮靓在这里小学毕业，我先生在这里读完学位，我也经历和见识了很多前所未闻的事情。就在1993年8月6日那天，我们依依不舍地惜别了朋友、同事、校园、海湾……开车横穿美国大陆，前往东海岸的缅茵州……

第三章

别具特色的往事

(1993 年 8 月—1999 年 8 月)

位于美国东北部的新英格兰地区的缅因,与加拿大接壤,濒临大西洋。美国的第一批欧洲移民在 1604 年就定居于此。当垂柳拂面的春夏之交,泛舟在那碧波荡漾的湖面,如诗如画;当秋风乍起,那漫山遍野色彩艳丽的枫叶,更让人赞叹大自然的美妙。

我们在水村居住的 6 年,亮靓由初中到高中毕业,佳俐上小学,汉青则从幼儿园一直到小学二年级。正是他们三个人在不同层次学校受教育,就让这里的故事具有了不同的画面。你将会看到生动活泼的幼儿教育和充满温馨的亲情的茶话会;那小小的足球,怎么就会吸引这么多的孩子们从小就开始奔跑于足球场上;还会看到在美国的高中,学生是怎样发挥自己的创意;美国的高中生是如何申请和选择大学。我想,更让你有点意外的大概是你们怎么会有"修女朋友"?

生动的教学

　　作为父母,当我们看着孩子们从牙牙学语,到能说会道;看着他们从蹒跚学步,到送他们上幼儿园,你是不是也希望自己的儿女从小小的年纪,可以在幼儿园里除了能够愉快地玩耍,也能够学到一些知识呢? 你也许不会想到,我送孩子们上幼儿园时,偶尔也会到那里,和孩子们一样,听老师讲课。

这是在汉青幼儿园的教室里。小朋友们和老师在地上坐成一个圆圈。老师手中拿的是汉青一岁生日时的照片,我坐在汉青旁边。

　　1993 年,在缅茵州的一所私立幼儿园。快到汉青三岁生日了,我收到老师的一封信,邀请家长去参加他的班里为他举办的生日活动,并请我带上汉青的出生时一岁、两岁和一张全家的照片。尽管我不知道老师要照片干什么,但我遵照老师的指示办了。同时,我也很高兴能有这样的机会了解汉青的新学校,因为那时我们刚从圣地亚哥搬家到缅因,汉青到这所幼儿园还不到两个月。上图就是汉青生日那天上午刚开始时的情形。老师先让班里的小朋友们围成一个圆圈,然后告诉大家:"今天是汉青的三岁生日,我们请他的妈妈来和我们一起庆祝,大家欢迎!"小朋友们都拍起小手,欢迎我,我也很感谢他们的邀请。接着老师说:"我们每个人都是从小婴儿,一天一天地长大的,对吗?"小朋友们都说:"是的!"老师问:"那你们想不想看看汉青从小婴儿到现在的照片啊?""想,我们想看!"老师就把汉青刚来到人世间几个小时后在医院里的照片、一岁的照片、两岁的照片一一展示,让小朋友们观看并作简单介绍。小朋友们聚精会神地听老师讲解,了解人是怎样从小婴儿,到会坐,会爬,会走路的成长过程。然后,老师拿起我们全家的照片给小朋友们看,并且问他们:"汉青家里有几口人啊?"小朋友们说:"五口人。有爸爸,妈妈,两个姐姐和汉青。"老师说:"对了。你们知道汉青的父母是从哪个国家来的吗?"有的孩子说:"中国。"老师说:"对了,汉青的爸爸妈妈是从中国的北京来的。"老师又问:"你们知道中国在地球的什么方位吗?"这一下鸦雀无声了。老师说:"中国是在地球的东半球,美国呢,是在地球的西半球。"老师接着又问:"你们知道北京是中国的什么城市吗?"这时我看到那些孩子们,你看我,我看你,没有一个孩子知道。老师问:"你们知道华盛顿是美国的什么城市吗?"有个小朋友说:"是美国的首都。"老师说:"对了! 华盛顿是美国的首都,北京是中国的首都,知道了吗?""知道了。"老师又说:"这样,你们大家跟我一起,重复一遍——北京是中国的首都。"然后,老师让汉青拿起地球仪找到中国后,展示给小朋友们看。

看！汉青还挺不好意思的。他抱着个小地球仪，按照老师的指示，走到每个同学面前，让他们都看一看中国在地球上的位置。

　　接着老师又问："你们知道汉青是在什么地方出生的吗?"有个小朋友们大声地回答。"是在圣地亚哥出生的。""你们知道今天是几月几号?"他们说："今天是 11 月 26 号。""汉青的生日是多少号?"小朋友们说："是 11 月 26 号!"老师说："对了! 那你们知道是 11 月是怎么拼写的?"有的小朋友说："November!"接着，老师又让大家一起，大声地重复一遍："November!"这时，老师的助教端来一个小桌子，上面摆上了一个小蛋糕，她点亮了小蜡烛。汉青蹲在小桌旁准备吹蜡烛，这时，小朋友们一起唱起了生日歌。吹灭蜡烛后，老师让小朋友们去洗手，发给每个人一个小蛋糕，汉青和小朋友们一起开心地吃起来。

老师把小蜡烛点亮后,小朋友们唱完了生日歌,汉青开始吹蜡烛,大家准备吃蛋糕啦!

　　这半个小时和三四岁的孩子们一起上课,参加这样别有风格的生日活动,这是我从未有过的体验。看到孩子们去吃蛋糕了,我去感谢老师,因为这样的机会对我来说不多,却又是那么有意义。尤其是我看到老师是这么生动和灵活地引导小孩子们,教会他们一些基本的又很重要的文化和地理知识,我为汉青能进这样的幼儿园而高兴。我问老师:"是不是每个孩子的生日都是这样庆祝呢?"老师说:"基本上是一样的。我们是想通过庆祝生日这样简单的活动,让孩子们了解他们的成长阶段,记住他们的出生地点和出生时间;同时让他们学会拼读一些有关的词语。班里这么多孩子,每个月都有孩子需要庆祝生日。你知道,要让这么小的孩子,硬去记住那些时间、地点的拼写不太容易。通过这种方式,他们慢慢地就记住怎样拼写了。"我说:"这倒是一个很好的方法,怪不得我看到围绕着小桌子的地上,摆了每个月份的拼写卡片呢。"老师又说:"因为每个孩子的情况不一样,我们也会因人而异,加一些新东西。就像今天,因为你们的家庭背景,这正好让孩子们了解一点有关中国的基本知识。孩子们这么小,只有用这种具体又实际的例子来教他们,他们才会感兴趣,也容易接受,但是,时间也不能长……"

老师的这些话,这节课,这些照片,让我颇受启发,寓教于乐才是最好的教育方法。

母亲节茶话会

作为父母，我们会给予孩子们无私、无价、无条件的母爱和父爱——这是人类的天性。那么，孩子们懂得"滴水之恩当涌泉相报"的道理吗？虽然当今社会，"养儿防老"的观念已经稍显陈旧，但是，流传至今的著名诗句："谁言寸草心，报得三春晖"不正是古往今来，中华子女们孝敬父母最好的写照吗？当然，我们作为父母，如何让孩子们从小就逐步懂得这个亘古不变的道理呢？怎样从日常的活动中，让孩子们体验到这人间最纯洁、最美好、最珍贵的亲情呢？

我记得孩子们在中小学时，每年的母亲节、父亲节，亮靓、佳俐和汉青，都会从学校带回来一个个他们亲手做的小礼物送给我们，并且说："妈妈，祝您母亲节快乐！"或"爸爸，祝您父亲节快乐！"那个时候，心里会涌出一股股暖意。虽然我们搬过好几次家，但孩子们亲手做的这些小礼物，却一直被珍藏着。只是与亮靓和佳俐小时候所在的幼儿园不同的是，汉青的幼儿园会举办一年一度的"母亲节茶话会"，这让我至今都很怀念。

我第一次应邀参加"母亲节茶话会"是在1994年5月。那时节的水村已是绿草如茵，百花争艳，垂柳飘逸了。到了节日这天，我们这些孩子们的妈妈，都穿上比较正式的服装，去参加学校的"母亲节茶话会"。说真的，我开始听说"母亲节茶话会"还真的有点纳闷，按理说，西方人是喜欢喝咖啡，东方人才是以茶待客，也因此对这个"茶话会"充满好奇。

那天上午，学校的校长和老师们一个个兴高采烈地站在礼堂的门口，欢迎每个母亲的到来。而孩子们呢，也都早早地在坐在桌子旁，等着自己的妈妈坐到自己身边的专属座位上。汉青看到了我就直挥着小手，让我过去。等到每个妈妈都和自己的孩子坐在一起之后，校长说了几句简单的欢迎词，就让大家和自己的孩子们一起品尝早已摆在桌子上的小点心和绿茶了，欣赏学校送的小花盆，体会自己的孩子送的小礼物。汉青送给我的礼物是张小卡片。我看着儿子写在小卡片上的话，心里不但感到很温馨，更是充满了做母亲的自豪。等到大家都吃啊、喝啊、聊天聊得差不多了，校长说："今天，为了感谢每位母亲，为培养和教育孩子们所付出的辛勤劳动，也为了感谢每位家长对我们学校的支持，我们的同学们专门为庆祝母亲节编排了几个节目。现在，请大家观看同学们的表演。"

　　接着，我看到汉青和班里小朋友们的合唱，大一点的孩子表演了乐器合奏，有六个小姑娘跳起踢踏舞，还有两个小姑娘跳了一段芭蕾。最让我难忘的是最

第一次参加母亲节茶话会，汉青还是个"小不点"。你看，那张汉青做的卡片，有意思吗？

后一个节目,是校长本人为大家表演的竖琴独奏! 她那专业的优美姿势,那动人心弦的爱尔兰乐曲,让我们和她一起陶醉在悠扬美妙的音乐里。一曲弹完,在热烈的掌声中,校长说:"谢谢! 谢谢大家! 今天是母亲节,我自己是位母亲,我也是我母亲的女儿。我的母亲今年已经 72 岁了,她和我的兄妹仍然住在爱尔兰。下面,我要弹的这首歌也是一首爱尔兰民歌,是倾诉远离家乡的人们对家乡和亲人们的怀念。我想用这首歌祝福我的母亲,也祝福大家,母亲节快乐!"在热烈的掌声中,优美的琴声再次响起,我的心也随着这琴声飘向远方,作为一个游子,我和这位校长一样,此时此刻,我也深深地怀念自己的母亲……

　　汉青在这所幼儿园里学习了三年,我也参加了三次"母亲节茶话会"。虽然每年的形式类似,但是,孩子们一年一年地长大了。记得第一次参加茶话会,汉青还会坐到我的腿上,桌子上的茶是老师事先倒好的。三年后,汉青会自己去

时间飞逝,三年后的母亲节,汉青长大了,已经能自己给妈妈端茶了。

给妈妈倒茶了,还领着我看他们平日学习的用具和书本。

　　校长尼娜和我这位从中国来的家长也在"母亲节茶话会"上结缘,逐渐成了好朋友。一次,我和尼娜聊天时曾对她说:"尼娜,你知道,我们的三个孩子,在不同的地方上过幼儿园。亮靓在堪萨斯城的幼儿园,佳俐在加州大学的早期幼儿教育中心的幼儿园,这些都是当地非常好的幼儿园,可是,只有你这个幼儿园有'母亲节茶话会'和'父亲节早餐会'。我每次参加这个活动,总让我有一种难以忘怀的温馨和一种作为母亲的自豪感。当初,你是怎么想起来用这种方式来庆祝母亲节和父亲节的呢?"她想了想说:"我是在爱尔兰长大的,在我们的家乡,我们有喝下午茶的习惯。每天下午,大家一边喝茶,一边吃小点心,一边聊天,感到非常的轻松愉快。另外,我总是觉得母爱是世界上最伟大的,母亲为孩子们的成长付出最多,应当用一种特别的方式来感谢母亲,让母亲们能够轻松愉快地享受和孩子们在一起的欢乐。于是我想到了在家乡喝下午茶的那种感觉,这样,就开始了母亲节茶话会。没想到,第一次举办这种茶话会后,家长们都非常喜欢,因此,就这样,每年一次,现在已经是第十次了。你看,你不也是很喜欢吗?"我说:"是啊! 我是非常喜欢!"

　　可是,天底下哪有不散的筵席? 孩子们长大了,跨出了幼儿园,上小学、中学、大学……这曾经既温暖着我的心,也浸润着小汉青心意的充满亲情的"母亲节茶话会",已经与我们相隔多年了。唯有这位多才多艺的尼娜和我们之间的友谊,一直像那悠扬的琴声,绵延不断至今……

小足球的魅力

我曾经不止一次地对汉青说："如果没有你,妈妈可能一辈子也不会对踢足球感兴趣!"因为我和先生都不是体育爱好者,很少参加球类运动。在汉青踢球之前,我从来没有碰过足球,更没有看过任何一场足球比赛。可是,我们这个没有运动遗传基因的儿子却从小爱踢足球,如今是大学生了,在学校业余时间还是踢。放假回到家后,还时常和过去的球友们踢,而且踢得还很不错! 正因为如此,从汉青开始踢足球,我这个"司机"就负责送他去练球和比赛,在那儿看踢球。十几年来,这种经历不但让我们体验到了一种美国文化,更看到了在足球场上,小队员们围绕一个小小的足球,既要发挥个人的勇猛又必须互相协调配合,既要赢得高兴又要学会输得有风度的一种运动精神。小小足球,除了训练了孩子们的精神和体魄,也让他们建立了深厚的友谊。

说起汉青踢足球,还要归功于我们的美国邻居。为什么呢? 我们的这位邻居有四个孩子,三个男孩,一个女儿。两个大儿子都比佳俐和汉青大五六岁,女儿比佳俐大一岁,小儿子涛瑞和汉青是同一届的同学和朋友。这对邻居夫妻都是全职工作,但业余时间他们都全力参与和组织我们小镇上的足球队。在孩子们平日的练习和周末的比赛中,他们经常都是全家出动,活跃在足球场上。这样一来,佳俐和汉青常与他们一起玩耍,自然而然地也就关注起足球,一有时间就在房前屋后的草地上踢着玩。

1995 年 9 月,汉青从涛瑞家回来对我说:"妈妈,涛瑞今年要参加足球队,我也想参加。"我说:"你可以去呀,有什么条件吗?""要五岁才可以,我还差两个多月,才够条件。""那你可不可以问问涛瑞的爸爸,就差两个月到五岁,说不定也可以呢。"第二天,他兴高采烈地告诉我说:"涛瑞的爸爸说,没问题,想参加就报名吧!"就这样,汉青和涛瑞一起报名参加了小足球队。

汉青他们的足球队是每星期二、四下午练习,星期六则是队与队之间比赛。因为平日练习,都是在下午 3—4 点钟左右,学校放学以后,通常都是家长送孩子们去练习,有的家长也就留在那儿看孩子们练球。可是,每到星期六,是各个球队互相比赛的日子,你看那球场周围的热闹劲儿,远远就听到人们给小足球队员们"加油"的呼喊声。你要是稍微到晚点,根本就找不到停车位。很多家庭几乎都是全家出动,父母、祖父母、亲戚,大家在足球场四周的草地上,铺块毯子坐在上面;有的是带着折叠椅子,有的还带着水、饮料和小点心。人们有说有笑,看上去是那样开心和轻松。尤其是天气好的日子,在那蓝天白云下,在这碧绿的绿草地上,大家边聊天边看孩子们踢球,多么幸福的天伦之乐! 球场上只有十几个孩子在踢球,可球场周围这草地上到处都是看孩子们踢球的家长和亲友们。记得我第一次送汉青去比赛,远远看到这种喧闹非凡的场面,我非常震惊:"哇! 哪来这么多人? 在这个小城里,我从来没有看到这么多人汇聚在一起!"在那一刻,我突然意识到——这不就是一种美国文化吗! 后来,有好几次,我有事找人,在他们家里找不到,跑到足球场,嘿,正在那里! 这种星期六踢球和看球的场面,在缅因是这样,后来到加州也是这样;即使在马里兰的小镇,也还是这样;到了丹佛,更是这样! 因为丹佛这个城市近几年发展很快,这里的足球场地相对新,地方更加开阔,踢足球的孩子们也日益增多。星期六时,这里人来人往,川流不息,就像是一个集市接着一个集市。通常从早上九点钟开始,不同年龄组的孩子们轮流比赛,要到下午四点多钟才能结束。许多美国孩子的家长们,周末是会尽量陪孩子们在一起,这也就形成了在小孩子们的足球赛场外,这一道道独特的欢乐的风景线。

大概是汉青踢了一个多月后,在一次比赛后,他的教练对我说:"汉青足球踢得很不错,他很灵活,很勇敢,腿也很有劲,今天还踢进了两个球。我现正在组织巡回比赛球队,不知你愿不愿意让他参加?"我还是第一次听说这"巡回比赛球队"名词,不由地问是什么意思?教练告诉我:"这个巡回比赛球队,就是代表我们镇里的小足球队,在周末到州里的其他城市和小镇,和当地的足球队比赛,他们也会到我们这里来比赛。"我说:"那是好事啊!我对足球一点儿也不懂,如果您觉得汉青可以参加,就让他参加,我没有意见!"汉青呢,自然是巴不得能进这个队,因为他的好朋友涛瑞和教练的儿子,都被选到这个巡回比赛球队,甭提他有多高兴了!

正是在这种练球、打球以及在巡回比赛的过程中,孩子们相互之间及和他们的教练,彼此增进了了解和友谊。那时候,每次出去比赛,都是一整天的时间。我会让汉青带上买午餐的钱。可是,每次回来后,他都把钱还给我,说:"打完球后,我们都饿了,教练就带我们去麦当劳去了,他帮我们每个人买了汉堡包,没要我们的钱。"还有一次,汉青穿着别人的外套回来了,我问他怎么回事,原来他忘了带厚的外套,晚上冷,教练就把他儿子的外套给他穿上。因此,有时他的这些队友们到我们家来玩,我就留这些孩子们在家里吃饭;有时,他们会在我们家里留宿,有时汉青去他们家里过夜。汉青和他的小朋友们,加上这小小的足球队,一起度过了非常愉快的童年。

后来我们搬到了加州和马里兰州,虽然我们在这两个地方只住了一年,汉青也从未停止过踢足球。他足球队的队友成了他的好朋友。搬到丹佛后,才知道当地的足球队是在每年的春季就要注册报名,到秋季才可以参加球队。我们8 月中旬搬来丹佛后,我们住处附近招收他的那个年龄段的足球队人员已经全满了。几经周折,终于在离我们住处稍远的另一个小区,找到了一个名额。汉青又能接着踢足球了,他非常高兴!

第一次见到新教练,我们就被他的热情和豪爽所感染。他是一位法国移民,自幼爱好体育运动。他们的三个女儿、两个儿子都在踢足球。他和太太平

小汉青和他们的小足球队员们在踢球。

日经营自己的公司,业余时间忙于孩子们的足球队,先生当教练,太太负责张罗足球队的其他事。

　　这位教练训练这些十多岁的孩子们,倒是很有他的特点。每周二和周四的下午,当队员们都来齐后,他先带着大家围着球场跑步,先慢跑后快跑;然后活动四肢,再分成两队,互相面对面练习踢球和接球。当这些基本功练完后,队员们分成两队,模拟比赛时的情况训练他们踢球。别看这些孩子一个个才十多岁,很多人也和汉青一样,已经在足球场上跑了四五年了。虽然每个小队员都掌握了踢足球应有的基本技巧,但是,有的孩子更擅长射门,有的孩子速度很快,有的孩子很会带球跑,有的很会抢球。正是这样,教练根据每个孩子踢球的特点,把他们安排在不同的位置上。汉青因为是新来乍到,教练还不清楚他的踢球特点,先后让他踢过前锋、中锋和后卫,发现他几种位置都踢得不错,所以第一年时,他基本上哪个位置相对弱或有的队员因事未到,就让他在那里顶班。后来三年里,他主要是踢后卫和中锋。

　　这位教练在训练中,很注重训练队员们之间的互相配合的团队精神。他常常教他们,怎样一边带球跑,一边左右看自己队里的人,想办法以最快的速度把球传给靠近自己的人或前锋,再让靠近射门的前锋进球,与此同时,要学会防备对方的球员抢球。他也告诉他们要灵活、机动,在球场上,既要坚守在自己的位置,又要学会机灵地利用对方的空当和失误,及时地传球和踢球。他总是强调前锋、中锋和后卫一定要学会互相协调配合。有的时候,孩子们看到球,呼啦啦都追着球跑,忘记了“大后方”,结果,对方一个快速反击,后方失守,对方往往因此而进球。每当快出现这种情况,你会听到,在一旁指挥的教练,就会扯着嗓门,大声地叫“后卫”的名字,提醒他注意防守。

　　除此以外,教练还会训练这些孩子们的“吃苦”精神。丹佛的天气,尤其是深秋和早春,气候的晴雨变化很快。但是,无论是训练时还是比赛时,天若下雨了,他们都接着踢,不会中断训练和比赛。可是,如果出现打雷和闪电的情况,即使没下雨,只要是球场上发出避开闪电的警报,教练就会立刻停止练球和比赛,带领队员们到比较安全的房子里,避开电闪雷鸣,有时还会取消当天的训练和比赛。因为在雨中练习可以培养孩子们一种不怕困难的精神,而避开电闪雷鸣,是为了孩子们的人身安全。在丹佛的几年里,汉青和队员们经历过好几次那种"落汤鸡"式的训练和比赛。

在教练的指导下,小队员们的球技提高很快,互相配合也日益见好。每到周末和其他队比赛时,他们赢的次数总是多于输的次数。踢球的输赢对于年龄尚小的汉青并不重要,他只是喜欢参与这项运动。在缅因时,汉青是以踢前锋为主,只要踢进了球,大家都会鼓掌,有的人甚至会大叫他的名字,吹口哨,鼓励他;但有时一场球下来,他没踢进一个球也无所谓。但随着年龄的增长,踢球的输赢在他的心里产生一定的分量。值得称道的是,汉青参加过不同地方的球

看!在足球比赛中,汉青高高跃起,当仁不让!

队,每个地方,每场比赛,无论哪方输了球,两个球队的队员们和教练,在球赛结束时都会互相握手道别。在比赛结束后,无论输赢,教练都会给队员们分析原因,希望他们下次在某些地方注意。他从不指责任何队员,而总是说些鼓励他们的话。在教练的影响下,队员们互相之间也不会相互指责,而是一种友好地谈论或争辩经验教训。有时候,在打完球回家的路上,我会跟汉青一起聊聊打球和输赢的事。我发现,很多时候,他清楚失误和输球的原因,但他不会评点其他人,却常为自己的失误而感到遗憾,这时,我会提醒他:"汉青啊,你还记得妈妈从小教过你的一句中国成语——'胜败乃兵家常事'吗? 有赢就会有输,没关系,下次好好踢,争取赢回来⋯⋯"

汉青来丹佛后参加的那个足球队虽然离家远点,但"碰上了好教练和合作伙伴",他就再也没有换到其他队,一直踢到中学毕业。上高中后,他就努力争取参加到了学校的足球队,继续踢足球。

汉青上的高中是科罗拉多州最好的一所公立学校。这所高中不仅学习风气好,其他方面,如体育、文艺、科学竞赛、演讲比赛等等,都在全州名列前茅,甚至在全美国都能排上号的。学校的足球队也是经常代表学校参与全州的各个高中之间的比赛。这种比赛往往与学校的荣誉有关,所以,校队的队员们都有极强的输赢意识。当然,能够进入校队的队员们是经过筛选的,基本上每个校队的队员们都是久经球场的"老队员",他们从小就受到过这种面对输赢的"考验"。他们都为能进入校队而自豪,平时都会认真地参加练球,也会很认真地对待每场比赛。他们争取赢,是要为学校争荣誉;但是即使输了,也没关系,学会了坦然对待。我还记得,有一次汉青比赛回来告诉我,他们的校队和另一所高中进行足球队比赛,那所高中的球队不是他们的对手,一直输,而他们总是得分,等到他们得到 10 分时,教练告诉队员们不要再认真踢,让对方进球,最后对方进了两个球,以 11∶2 结束了那场比赛。

在高中校队里,汉青踢前锋时,他注重踢进球;当汉青踢后卫时,他既要防

哇！汉青又跳起来用头顶球！

守对方又要注意和自己队的队员配合；尤其是他后来踢中锋，他更要前后左右都要兼顾，有时候在球场上，他不但自己踢球，也关注其他队员的动向，叫这个快跑，叫那个注意接球，像个小指挥。到了高中校队比赛时，在足球场上，他自己也是拼命地跑前跑后，带球、踢球、抢球、传球，有时看到高球，他就跳起来使劲地用头顶，那种勇猛和当仁不让的劲儿，简直就像是另一个人！有几次比赛，他抢到球后，来不及传给前锋，自己就远距离地拼命一脚，使劲一踢，"球进了！""哇！好球！""踢得太漂亮了！"全场顿时响起热烈的欢呼声。还有一次，他跳起来和对方抢球，被对方不小心绊了一脚，他几乎是从半空中翻了个一百八十度的跟头，摔倒在地，看到当时的情形，全场所有的人，包括我，开始几乎都屏住呼吸，心里捏着一把汗，怕他摔伤了，万幸，万幸！他是被摔倒在草地上，腿和胳膊受伤了，没伤到骨骼和后背……正是因为汉青本身球踢得不错，又有一定的团结和指挥能力，他成了球队的主力，连续被评选为"最优秀的队员"和足球队长。

　　汉青从 1995 年到 2009 年，从小足球队到高中的校队，这 14 年中，小小的足球和他忠诚的小伙伴，伴随着汉青度过了愉快的童年和青少年时代，带给他许许多多的欢乐。我们家里摆放着一个个汉青参加足球比赛所获得的奖励品和纪念品，记录了他一步步成长的过程。踢足球，不但强健了他的体魄，让他学会了如何面对输和赢，更让他学到了互相关心、互相配合的团队精神，增强了不怕困难、敢于冲锋的斗志。小小足球，伴随着汉青从小到大茁壮成长！

学钢琴的起落

　　照片里那位钢琴老师是当年上海音乐学院的高材生,后来远嫁美国,她正在认真地教四岁多的小汉青学钢琴。每当我看到这张照片,心里就会充满感动,这是一张多么可爱的照片,那么生动地记录了当初的情景:还是小不点的汉青正认真地在按照朱老师的指法练习……啊!一晃十六年过去了,可老师对我说的话还是那么清晰地回响在我的耳边,她说:"汉青的乐感很好,别看他人小,

汉青在朱老师的指导下学钢琴。

可他的手指长，也很有力度，可以好好培养，他会弹得很好的。"虽然老师这么说，可汉青的学琴之路并不是那么顺利。亮靓和佳俐的学琴经历呢，也是颇曲折，这且听我慢慢说。

亮靓小的时候，很想学钢琴，可是，我们当时没有那个经济能力，只能让她转学小提琴。等我先生有了工作后，我们在 1994 年买了一架旧钢琴。不过，你可别小看这架旧琴，当一位有经验的调琴师来调琴音时，他告诉我："这是一架 1927 年生产的波士顿牌钢琴，质量很好，音色也很好，是很好的钢琴。"好了，琴有了，老师也找到了，佳俐和汉青就轮流每星期上一次课，开始汉青是半小时，佳俐是一小时。亮靓当时没有上钢琴课，因为她参加了学校的乐队拉小提琴，在课外和一位专门教小提琴的老师学习。不过，她喜欢弹钢琴，当她暑假有时间时，她就找朱老师学弹些钢琴曲。

佳俐和汉青开始学钢琴时兴致很高，学得也很认真，每天也会练习 20 分钟。可是学了一年多以后，刚开始的那股热情过了，尽管老师还是一步一步在循序渐进地教，他们的练习却越来越不积极了。通常都是我说："汉青，你还没练琴吧？""佳俐，你明天有钢琴课，老师上星期教的曲子会弹了吗？"多数情况是佳俐还蛮自觉的，有时她忘了，一经我提醒，她就会自觉地去练习。汉青呢，有时候还得我坐在他的旁边，看着他练习。这种愿意学新曲子但是不情愿每天练习的状况持续了一段时间。老师每次教完课后，也叮嘱他们有的曲子要重点练习的部分。我清楚老师的意思，学钢琴哪能只学不练呢？于是，我找时间和他们俩谈了谈。

我问他们："你们还想学钢琴吗？""想啊！"他们俩几乎是异口同声地回答。我说："你们想学，但是你们不好好练，老师怎么往下教？"汉青说："我每个星期有两个下午要踢足球，星期六要比赛，有时还要到别的地方比赛，我哪有那么多时间练习啊？"佳俐也强调她每个星期也有两节芭蕾舞的课，有时同学又要找她玩。我觉得他们俩说的也是实际情况，我计算了一下他们每天的上课和其他活动的时间,剩下的时间还是有,但毕竟有限。于是我说:"这样吧,我和老师商量一下,看看能否改为两个星期上一次课,给你们多点时间练习,怎么样?"他们俩一致赞成。于是,我跟老师商量,老师说:"可以啊,我没有意见。不过,你们汉青要是多练练,可以弹得很好!"我说:"朱老师,谢谢您了!"我和汉青说了老师鼓励他的话,他说:"我知道,老师也和我说过,可我哪有时间啊?"我笑了,我说:"小子啊,你别强调客观理由,妈妈知道你,弹钢琴和踢足球,你最喜欢的是踢足球,对不对? 你看你,一有时间就踢球,怎么叫没时间?"他笑了,默认了……

当我看到了他们这些特点后,我想,我有必要规定他们每天必须练琴一个小时吗? 只要他们愿意学,能够按照老师的要求做,适当练习,能够坚持下来,不是也很不错吗? 你也许会觉得我的要求也"太低了吧"! 不过,我让孩子们从小学点乐器、音乐、舞蹈、绘画等艺术,是希望给他们一种良好的文化熏陶,这样对孩子的成长、品格的塑造和智力的发育都是有益的。他们有兴趣,愿意学,我当然全力支持;但是如果有厌倦感,不要学,又有什么关系呢? 据我对他们学琴和练琴的观察,我知道他们不是那种拥有与生俱来音乐天赋的孩子。他们具有可塑的良好乐感,如果他们从心里深处非常热爱弹钢琴,他们是可以弹得不错,也可能会弹得很好;但如果是常常还得要我来催促他们练琴,那只能说明他们只是喜欢钢琴,而不是从内心里热爱它。如果不是发自内心的热爱,就不会有激情,更不会出现类似某些天才音乐家在小小的年纪,自己就主动去玩琴和弹琴的情况。实际上,我看到,在全世界范围内,有千千万万个孩子在学钢琴,又有多少人最后可以成为钢琴家? 又有多少从小学习乐器的孩子们,长大后能以此为职业? 多数人学钢琴或其他乐器,只是作为一种文化修养的培养而已。正因为如此,我何必不让他们有自己的爱好,有自由发展的空间呢? 亮靓、佳俐和汉青,和许多孩子一样,都是普通的孩子。所以,对于他们学习乐器,我有一定的要求,但不想苛求,还是顺其自然为好。

1999 年,当我们要从缅茵州搬家到加州时,我告诉他们准备把钢琴卖了,他们很诧异地问我:"这琴很好,为什么要卖?""你们不是不愿练琴吗?"我跟他们开玩笑,他们不服气地和我辩起来了,说他们昨天练了多长时间,前天又……看他们当真了。我说:"其实,真正的原因是我们到加州只一年,这架钢琴特重,储存一年的费用,比重买一架新钢琴的费用还多,你们说,还要留着吗?"接下去的几天,尤其是快到别人来取琴的日子,他们三人可自觉啦,找时间就去弹琴。毕竟,他们还是学了五年的钢琴,也参与了一些演出,美妙的音乐总是让人心情舒畅,回味无穷……

到了加州后,佳俐参加了学校乐队拉小提琴。汉青呢,他是一直等我们搬到丹佛后,才参加了学校的乐队,他选择吹萨克斯风,我们就先租了乐器让他学。有意思的是,汉青参加乐队一个月后,老师要求每个学生单独演奏给他听,然后根据每人的情况,安排整个乐队的各种乐手的名次座位。平时在家,我很少听到汉青吹萨克斯风,那天他把乐器带回家了,吃完晚饭后就开始练习吹萨克斯风。我说:"嗨,小子,今天是哪阵风吹过,让你练习吹萨克斯风?"他一本正经地说:"老师明天要听我吹萨克斯风,乐队要排座位,我得赶快练练。"过了两天,他兴致勃勃地对我说:"妈妈,你猜猜看,我们乐队有七个人吹萨克斯风,我排在第几?"我想了想,他是刚转到这个学校,又从未吹过,但从小学过几年钢琴,还是有点音乐基础,于是我说:"第三? 第四?"他得意极了,笑着说:"猜不着吧? 我是第一!""真的?"我是有点意外,我说:"那好啊! 祝贺你! 没想到你这临时抱佛脚,还有点儿用。"看他开心的样子,我想,小学生的乐队中可能大家都没有什么基础,也没有认真学和练,他可不就"矮子中选高子"了。不过,这样一来,汉青就确定他要继续学习吹萨克斯风。于是,为了便利他的进一步学习,我们买下了那个萨克斯风。他从小学、中学直到高中三年级,一直在乐队吹萨克斯风。乐队的排座是每年一次,他的座位次数也是有所不同。佳俐和亮靓一直是在小学、中学和高中的乐队里拉小提琴。钢琴嘛,也就从此退出了他们的生活。

　　这就是我们的三个孩子学习小提琴、钢琴、萨克斯风和他们参与学校乐队的一段平凡的记忆和经历。也许,平凡得没有比赛的奖状,没有鲜花和喝彩,也没有把美好的童年和少年时光,全都融化在键盘和琴弦之间……但是,这些普通的孩子们在学习乐器的过程中学到不少知识,开始积累文化音乐修养了。

组建学校辩论队

美国高中四年的学习和生活对于孩子们的成长,是一个既丰富多彩又充满挑战性的阶段。除了必修课和选修课以外,学生们有机会选择和参加各种各样的俱乐部,各种类型的比赛,各种形式的义务活动。同时,学校也鼓励和帮助学生们发挥自己的潜能,大胆创新,积极参与多种活动。每年都有许多的高中生参加数学、自然科学、社会科学方面的多种比赛。学生们只要有兴趣,有能力,都可以争取参加。当然,比赛也是从学校到地区,再到全国一层一层地筛选。学生们也可以根据自己的意愿和兴趣,在合理的条件下,自己成立一个俱乐部。亮靓在高中时,就进行过这种尝试。

亮靓是在缅茵州的小城上的高中,她那一届才 147 个学生,可以想象这是一个多么小的高中。也正因为如此,学校里的课外活动的组织相对于大学校来说就少得多。亮靓在高中二年级的暑假,到外州参加了一个暑假夏令营,了解到其他的高中有辩论队,而她的学校没有,她自己对辩论又非常感兴趣。于是,新学期开始后,她就主动找到有关老师,和他们谈论自己想组建辩论队的想法。学校里的老师很支持她的想法,并告诉她该怎样办,还答应提供一定的活动费用。当时遇到的一个难题是,按照学校的规定成立辩论队,一定要有一位英语老师或者教社会科学的老师负责指导才可以成立。她找了几位老师,老师们除了教英语课和社会科学的课以外,都已在指导其他俱乐部的活动,没有更多的时间再去负责筹建新的辩论队。亮靓的几位同学,也对参加辩论感兴趣,大家都不愿就此罢休。怎么办呢? 她又去找老师商量,老师给了她一个建议,老师说:"你爸爸不是在大学里教书吗,看看那里有没有老师或者高年级的大学生可以帮助你们,负责指导你们。"老师的建议,让亮靓豁然开朗,她回家和她爸爸商量后,觉得找高年级的大学生比较可行。于是,她就通过大学的学生会,找到了两位大学生。他们曾经在高中参加过辩论队,还都是高中的辩论队的队长,并且都多次荣获过辩论大奖。这样,亮靓的学校和老师都乐意聘请这两位大学生作为他们学校辩论队的辅导员。因此,一个新的辩论队成立了!

在两位大学生教练的指导下,队员们每星期利用一定的课余时间,准备和熟悉参加比赛的材料,星期六就到指定的不同地方参加比赛。这种比赛,通常都是清早离家,到晚上很晚才能回来。亮靓和她的同伴,都很喜欢这种辩论,积极地准备,阅读有关材料和练习。他们外出参加辩论,经常能够获得名次。尽管有时不是第一名或第二名,而是第三或第四名,但都能榜上有名。令人欣慰的是通过辩论活动,既训练了他们的思维和语言表达能力,也扩展了他们的知识范围,增加了见识,同时也提高了个人修养和素质。对亮靓来说,筹建辩论队的经历,让她看到了自己的潜力,增加了自信心,锻炼了她的组织和领导能力。

正是亮靓的这种经历,让我第一次看到了,在美国的高中,学生们可以根据自己的意愿和需求,主动成立不同的俱乐部。后来,随着佳俐和汉青陆续进入高中,尤其是他们俩的高中是一所拥有三千多学生的较大学校,有二十几个俱乐部。我从中了解到,实际上,许多高中里的俱乐部,不是学校预先就设立好的,很多俱乐部都是一届一届的学生们自己设计、自己成立的。有的俱乐部会逐步发展成全国性的组织,有的俱乐部则是学生们根据自己的兴趣新建立的,如"乒乓球俱乐部"、"瑜伽俱乐部"、"人权俱乐部"等等。每年的新生都会有些不同想法、好点子。凡是学生们能想到的,想做的,只要在合法的范围内,学校都会支持学生们的行动。

成立这些小俱乐部,虽然只是起源于学生本身的一种兴趣或爱好,有的看

这是亮靓与队员们参加州里比赛获胜后的照片，她兴奋地说："没想到，我们的辩论队这么棒！"

似微不足道，但是，学校和老师鼓励和支持学生们的做法，不正是在帮助学生们

挖掘他们的潜能，支持学生们创造性的思想火花吗？

申请和选择大学

当孩子们上高中了,尤其是快要毕业了,申请什么大学,要去什么地方读大学,就成了家庭里、亲友中,甚至同事间相互关心、谈而不厌的话题。大概,我们每个人都会有类似的经历吧? 这不仅是孩子本人的事,也和我们做父母的息息相关。和许许多多的家庭一样,我们的三个孩子也曾面对的这种抉择,其间的酸甜苦辣是一言难尽!

亮靓是家里的大千金,1998 年秋,她是高中 12 年的毕业班的学生了。美国的高中生,是要在 12 年级开学后,通常是从 9 月份到年底,个别学校会到来年的1 月份,需要完成大学申请的程序。10 月的一天,亮靓回来告诉我:"妈妈,我准备申请布朗大学,我也想选择早期申请的方式。"我问她:"你确实考虑好了吗? 你不想再考虑一下你爸爸建议的学校?"亮靓说:"我想好了。爸爸说的那所学校是很好,我知道,根据我的情况可以去申请,但是,我的两个同学都要申请,其中一个还是我的好朋友,我不想去和她们竞争。我要申请布朗,是因为我喜欢那个学校非常自由的学习风气,学生可以不受限制地修自己喜欢的课程。另外,我喜欢城市,布朗位于中等城市的边缘。还有,离家也不远,开车也就五个小时左右,来回很方便。"听亮靓说得头头是道,我说:"看来你是想好了,我没意见。不过,你最好和爸爸再说一下。"

为什么我特意叮嘱亮靓要和她爸爸再说一下呢? 这是因为在那年暑假,我们和亮靓一起参观学校时,他们父女俩对申请什么学校就发生过争吵。亮靓喜欢的学校她爸爸不感兴趣,而她爸爸欣赏的学校呢,亮靓又因某种原因就是不想去申请。他们的观点如此针锋相对,居然在当时就争起来了。两人争论得很厉害,以至于亮靓尽管流着眼泪也要对爸爸说:"你要是这样坚持要我申请,我都不想上大学了!"那时的亮靓很不理解爸爸的心愿,做父母的辛辛苦苦地工作,挣钱送孩子们读书,不就是希望孩子们能上个好学校,今后能有更美好的前程吗?

当亮靓告诉爸爸自己的决定后,他开始还是有点不悦,他认为布朗大学是所好大学,但是,亮靓明明可以申请更好一点的学校,为什么不申请呢?花同样的钱上大学,为什么不选择更好的学校呢?父女俩观点还是不一致。我在这个问题上是理解先生的心意的,但是,我也赞同亮靓的选择:首先是她喜欢布朗大学。其次是美国的任何一所好大学,都要在全美国甚至全世界范围内挑选优秀学生,怎么可能从才一百多个毕业生的高中里,同时录取几个学生?更何况已有两个各方面表现都非常优秀的学生要申请,她再去参与,入选率几乎是微乎其微。再者,美国前十名、前二十名的大学,差别都不是很大的,各有其特点,没有必要只盯着前三名的顶尖大学。于是,我私下劝说先生:"亮靓有她自己的主见,这是件好事。再说她的想法也有道理,你就别再坚持自己的看法,非要孩子按照你的意见办!是她上大学,又不是你去上大学。孩子大了,你只能是建议她,不能勉强她啊!你让她自己选择吧!这样,她今后就要对自己的选择负责……"先生毕竟是个明事理的人,一时不悦过后,也转而支持亮靓自己的决定。亮靓倒是很幸运,早期申请,一举成功,被布朗大学录取了!听到亮靓的好消息,我们很为她高兴,因为这是她想要去的大学!之后,她没有再申请其他的学校,既为我们节省了很多申请费用,她自己也有时间去打工了。你也许想知道亮靓那两位同时申请那所"顶尖大学"的同学的情况吧?结果是,只有其中的一位被录取了。

那么,亮靓进了自己选择的大学,是不是就一帆风顺呢?

当 1999 年的秋天,亮靓高高兴兴地进入布朗大学后,第一学期她就选了五门课,其中一门是现代舞蹈课。她从小学习芭蕾舞,直到高中二年级,由于功课和学校的活动太多,不得不忍痛割爱,停学芭蕾。现在大学有舞蹈课,对她来说正中下怀。除了上课,她还参加学校的其他社会活动,每天是忙得不亦乐乎。可过了一段时间,亮靓开始在电话里向我抱怨了,学校的伙食不好,水果的种类也少;她修的一门英语课,不是教授讲课,是一名博士研究生讲课,她都没有兴趣了……听到亮靓的不满意,我觉得她是有点想家,还不适应学校的生活,于是劝慰她要学会适应学校的生活环境,学会调整自己的饮食习惯。至于上课嘛,还是要尊重老师,今后自己选课时,要稍微注意了解一下情况。亮靓是个性格率直的孩子,埋怨完了,该干什么还是干什么。第一学期结束时,她慢慢地适应了环境,又有了几个好朋友,她又开心了。

可是,在她第二学年的上半学期快结束时,她打电话给我,说:"妈妈,我想转学。"我当时很奇怪,她怎么会突然冒出来这个想法,我问她:"亮靓,你为什么要转学呢?"她讲了一些事情后,我明白了,原来是和男同学之间出现了一些矛盾。我说:"亮靓,同学之间,不管是男同学还是女同学之间,总是会有矛盾。关系好也好,不好也好,都是正常现象,你要学会面对。关系不好就转学,这样能解决问题吗?你要学会交朋友,也要学会怎样处理已经破碎的关系。亮靓,妈妈愿意和你一起探讨这些问题,看看怎么处理,但就这些原因想转学,妈妈不能同意!"亮靓听到我如此明确的回答,很失望,但又想要说服我,还告诉我,哪个同学转到外校去了,又有哪个同学是刚从西海岸的学校转过来的……到了新的地方,他们都很开心,等等。我说:"亮靓,妈妈理解你的心情和想法,你现在心情不好,这是非常正常的现象,妈妈相信你会慢慢地调整好心理的……你要知道,转学不是解决问题的办法。你想过没有,当初是你自己一定要上这所大学的,因为你喜欢它!现在有些不顺利,你就想离开,想逃避,这样做合适吗?你应当学会面对,学会处理这些问题,更要学会在困境中站立,这样今后才能适应社会。你仔细想想看,妈妈说得有没有道理?"亮靓的这通电话,不由得让我意识到,幸好当年是让她自己做主选择大学,否则,现在她完全可以说"是你们要我上这个大学的,我自己不喜欢,我要转学……"这理由不是很符合逻辑吗?

后来,亮靓没再提转学的事。当她走出阴影后很快又活跃起来。除了学习,她还在校园里打工,还在学校成立了"年轻妇女领导"的组织,和同学一起讨论有关的妇女问题,举办讲座和进行一些募捐活动,学校的校报还报道了她们的活动。她在第二学年的学期结束前,荣获美国高盛基金会和国际教育研究会的"高盛全球年轻人领导奖",并应邀到纽约参加一个星期的活动。再后来呢,她以优秀的成绩从布朗大学毕业了。

亮靓这段上下起伏的经历,也让我们从中学到了和增长了不少经验及教训。到了佳俐和汉青申请大学时,除了他们有事找我们商量,我们基本上不过问他们申请什么大学,放手让他们自己去做主,去选择,去学会承担责任。最后佳俐被宾州大学录取;汉青则选择了杜克大学。

孩子们在一天天地长大、长高、成熟,大学的校门在向他们招手,他们也一个个振翅欲飞。作为母亲,我在心里默默地祝福他们:飞吧,孩子!飞向你们选择的、适合的、喜欢的大学!

修女朋友

　　有谁会想到,我们会认识美国的修女,不但认识,还变成了好朋友!在我儿时的记忆中,修女们都是穿着黑长袍,裹了白头巾,胸前挂着十字架的淑女们。可是,我们的修女朋友,她们的穿戴和普通人没有区别,她们的住所也和我们一样。我们从1993年相识到如今,18个春秋过去了,她们和我们结下了不解之缘。她们善良的心灵,克己奉献、真诚地关心和帮助别人的思想,依然在潜移默化地影响亮靓、佳俐、汉青乃至我们……

　　那是1993年的深秋,我们从加州搬到缅茵州的水村。刚搬进新买的房子的第一个周末,我和先生正在前院收拾飘落在地上的树叶,门口走进了两位中年妇女。年长的那位满头银发,身着米色的风衣,内衬着淡绿色的围巾;另一位相对年轻些,她那齐耳的棕色短发,配上橘黄色的围巾和咖啡色的风衣,显得优雅文静。她俩很热情地和我们打招呼,并自我介绍:“我是岁岁欧”,“我是朵瑞”,“欢迎你们,我们的新邻居!我们就住在你们对面那幢棕黄色相间的房子里。”我们也作了自我介绍,大家聊了起来。从谈话中,我们得知她俩是修女。那位年长的岁岁欧,曾当过我们这个地区的教会学校的校长和养老院的负责人,现在已经退休了;而朵瑞曾是地区医院的护士长,现在负责我们镇上的中小学的医护工作。我当时就有些纳闷,既然是修女,为什么穿着和我们一样的衣服?怎么也住在我们这一条街上?因为大家是第一次见面,我这些问号只是在我脑子里转了转。这以后,我们每次见面,都是互相客气地打个招呼,直到一件事发生。

　　缅因的冬天真可谓是寒风刺骨,冰天雪地,通常是在9月底或10月初就开始飘雪花了。就在那年的12月初,我先生到外地开会,亮靓随学校组织的活动到纽约去了,家里只剩下我、五岁的佳俐和刚三岁的汉青。就在我先生离开的那天夜里,已经十一点多钟了,汉青突然从熟睡中坐起来大哭,边哭边抓身上,说浑身痒。我一看,他从脚到脖子都是红色的小肿块,大大小小遍布全身。我知道这小子平时不爱哭,这样大哭肯定是痒得非常难受。我一边劝他不要哭,一边在想该怎么办?那时我们刚搬到水村不久,举目无亲,我又不敢在雪天里开车,连医院在什么地方我都不知道,真是心急如焚却又束手无策。幸亏被吵醒的佳俐提醒了我:"妈妈,朵瑞是学校的校医,你问问她怎么办?"我说,我们才认识她,也没有什么交往,而现在已是深更半夜,外面还在下雪,怎么好意思打扰她呢?但儿子的哭声不断,我犹豫了半天,无奈中还是拿起电话,告诉了朵瑞汉青的情况。没想到她一面安慰我,一面说她马上过来看看。要知道,缅因的冬天夜间气温通常都在零下十几到二十度,那天晚上又下雪,我硬把人家从热被窝里叫起,心里感到很内疚。朵瑞来了,她看了看汉青浑身的红块,又测了一下他的体温,告诉我说,根据她的经验可能是由于过敏引起的,不用担心;但是她说:"我们最好还是到医院看个急诊,让医生确诊一下比较放心。"她随即给岁岁欧打了个电话,要把佳俐送过去让岁岁欧照顾,她带我们去医院。到医院经医生检查后,医生也认为是一种皮肤过敏症,但不知道是什么原因引起,便开了点药让汉青先吃了好睡觉,并叮嘱先观察一两天,如果不好,再去医院检查。在从医院回家的路上,朵瑞对我说,她下午看到汉青在门口的地上玩化雪的沙,我说:"是啊,他在门外玩了一两个小时。"朵瑞说:"你知道吗,这种沙不同于你们在圣地亚哥沙滩上的那种沙,这是加了化学物质做成的沙,是专门用来化雪的。他会不会对这种沙里的某种化学物质过敏?"经她这么一提醒,我想起来了,汉青玩沙回来后,直喊手痒,我用温水给他冲洗了半天才感觉好些。于是,朵瑞说:"这样吧,从明天起,不要再玩沙,看看过敏会不会好。"果然从那以后,汉青再也没有玩化雪的沙,也没再出现过那种过敏现象。

可是那一夜,朵瑞和岁岁欧这两位年过半百的老人,陪着我们从十一点多钟一直折腾到半夜两点多钟,我十分抱歉,可她们却一直说:"没什么,能帮助你们,我们也很高兴。"我对她们心存感激和敬意,知道她们爱吃中国菜,于是我就请她们来家里吃饺子。大家边吃边聊,我们这才知道,她们俩从小都是天主教徒,岁岁欧是到大学以后,加入修女行列;而朵瑞从小在教会学校读书,高中时便自愿当了修女。她们都受到过很好的教育,岁岁欧是公共管理学硕士,而朵瑞也是在大学毕业后,又学了医护管理。她们说,早在 20 世纪 60 年代前,她们作为修女也是穿着黑色的长袍,居住在修女们专门居住的地方。60 年代后,她们这一教派的修女可以自主地选择服装和住处,她们在 70 年代末买下我们对面这栋三室一厅的房子。她们每天早晨五点钟起床,各自先祷告半小时,等梳洗完毕后,就开车到教堂参加晨祷。七点半回来吃早饭,然后朵瑞去上班,岁岁欧则每周二和周四做义工。平日朵瑞五点钟下班,六点钟吃晚饭;晚饭后,看看电视或报纸杂志,九点钟上床睡觉。天天如此,生活非常有规律。偶尔她们外出参加聚会,也会争取在九点钟左右回家。如果电视台播放的节目是她们想看的节目,但是在九点钟以后,她们便把它录下来,留到合适的时间再看。她们的生活不但有规律,也很节俭。通常早餐一般是麦片粥、牛奶、果汁或烤面包,中午吃份三明治、色拉或菜汤;晚上她们会做点鸡肉或牛肉和蔬菜。鱼、虾之类的海鲜,她们有时会买点吃。到了周末的早晨,她们才做个煎鸡蛋慰劳自己。每周的报纸、杂志上的减价广告,她们都会剪下来,用来指导购物。除了特殊情况,她们很少去餐馆吃饭。她们也很少逛商场买那些流行服装,而是根据需要增添衣物。实际上,岁岁欧和朵瑞两人的工资收入在我们的小镇上应当算是中等偏上水平了。可是,为什么她们仍是这样节约呢? 当我问到她们这个问题时,她俩笑了,并且告诉我,她们是修女,在每年的年底之前,会对新的一年里自己的生活费用作一个预算,留下基本生活费,其余的全部奉献给她们的宗教组织。她们之所以这样做，是希望帮助生活贫穷的人。当然，在新的一年里，如果有什么特殊情况发生，所用的钱超出预算，她们可以向组织说明原委，得到需要的费用。

从那以后，我们来往日渐增多。等到 1994 年 2 月，也就是我们搬到水村半年多后，我在大学的化学系实验室里找到了一份临时工作，一天工作六个小时，时间是早上八点到下午两点。那时，亮靓上中学，要到两点半放学；汉青上幼儿园，可以到下午五点才接；佳俐在上学前班，只是半天，中午十二点就放学了。佳俐那时才五岁多，我们要找个可靠的人照看她。于是，我们想到了岁岁欧。她退休在家，就住在马路对面，又是可信任的人，太好了，就找她！当我告诉岁岁欧我找到工作了，想请她照顾一下佳俐，并且准备付点钱给她，因为佳俐还得在她家吃顿中饭。岁岁欧想了想说："我先祝贺你找到工作了！佳俐放学后，来这里是没有问题。现在 2 月了，到 5 月底学校就放假了，你就不用付钱了。不过，我每个星期二和星期四下午，要出去做义工，佳俐可以跟我一起去吗？""当然可以啦！"听到岁岁欧这么一说，我真的感到自己很幸运，在举目无亲的异国，又碰到贵人相助……

这样，每天佳俐中午下了校车，就直接到岁岁欧家，和岁岁欧一起吃完午饭。有时佳俐会自己看书或画画；有时佳俐就和岁岁欧一起去老人公寓或修女院看望那些身体不好的老人，送去他们需要的东西；有时会去给那些生活无法自理的老人和病残人送去饭菜；有时到当地的一个收容中心去帮助那些无家可归的人；有时到医院去看望病人；有时她们会到修女院里和其他修女们一起编织毛衣、小毛毯、帽子、手套之类的生活用品，捐给生活贫困的人。别看这些都是些平平凡凡的小事，但其中渗透着的一种精神在无形中影响着小佳俐。在那四个月里，佳俐跟着岁岁欧，每个星期都去做不同的义工，看到和学到了很多在她那个年龄从书本上学不到的东西。有一天，佳俐回到家对我说："妈妈，今后我长大了，等我挣了很多钱，我也要帮助穷人。"我当时真的很诧异，没想到这么小的孩子会说出这种话，我把佳俐搂到身边，说："好孩子，妈妈的好女儿！……"

那段时间，佳俐每天放学后，就和"美国祖母"岁岁欧在一起。

　　自然地，我们和修女的交往日益增多。她们俩见我先生总是出去开会，而我经常都是一个人在家，除了上班，就是接送孩子，忙家务事，从未外出过。她们曾问过我："你怎么不和先生一起出去看看？"我说："有的地方我倒是很想去看看，可现在不行，等三个孩子长大了再说吧！"我知道先生出门是公务，我在家照顾年幼的孩子们是我的责任，所以我压根儿就没想过那茬事。到了1995年春天，当她们得知我先生8月初要去德国柏林开会时，就主动劝我和先生一起出去看看，她们说："8月份是暑假，孩子们都不上学，我们来帮你照顾三个孩子的吃住，你就和你先生出去看看吧。"我说："真的？但是三个小孩子，太麻烦你们了。算了，我以后会有机会的。"她们又跟我先生说了说她们的想法。看到她们是那么的真诚，我们就把三个孩子交给她们了。那是我第一次离开三个孩子，跟先生一起去另外一个国家。那一周，三个孩子吃住在岁岁欧和朵瑞家，她们每天都给三个孩子安排不同的活动、看书、玩游戏、去图书馆、开车到海边、到附近的国家公园。

　　住在水村的那些日子里，孩子们的学习、社会活动都是岁岁欧和朵瑞平日谈论的话题。每年学期快结束时，我们小城的报纸会登出优秀学生的名单。每次只要她们看到孩子们的名字或照片，她们都会剪下来送给我们，并且说："我们知道你们有报纸，但这份是让你们寄到中国去，让孩子们的爷爷奶奶看看。"那时候，亮靓在高中参加话剧社，每场演出她俩都会去看；亮靓所在的科技小组每年参加州里的奥林匹克科技竞赛，到外州参加比赛，更是她们关注的对象。佳俐上小学四五年级时，学校每年春季会组织一次"请祖父母来学校吃午餐的活动"，因为孩子们的祖父母都在中国，佳俐首先想到请岁岁欧参加。岁岁欧总是很高兴地答应并且非常自豪地说："好，我去！我是你们的美国祖母！"记得有

"别了，水村！温馨的小城！"我们的街坊邻居为我们饯行……

一次我和孩子们在她们家玩，岁岁欧动情地对我说："我们在一起时，我像是孩子们的祖母，朵瑞像是婶婶，你是他们的妈妈，我们多像是一大家人！"我看着岁岁欧点了点头，心想，这么多年的相处，我们实际上不是都把对方当成自己的亲人了吗？

有很多人都曾经问过我同样一个问题："你是基督徒吗？""我不是。""你是天主教徒吗？""我不是。""那你怎么会和修女成为好朋友呢？"是的，在美国，在我们的美国和中国朋友们，其中很多人都是基督教徒或天主教徒。我呢，自幼受到佛教文化的影响，至今还是比较认同佛教的哲理。可是孩子们呢，他们从小偶尔去过基督教和天主教的教堂，也读过有关《圣经》的书，他们今后选择什么样的宗教信仰，就由他们自己决定了。虽然我们的美国朋友，戴比一家人是基督徒，岁岁欧和朵瑞是修女和天主教徒，其他的美国朋友大多数都是基督徒，有的还是非常虔诚的教徒。但是，存在于我们之间不同的宗教信仰，并没有影响我们互相交往并成为朋友。尽管如今，岁岁欧和朵瑞仍然住在水村，和我们相距甚远，但是电话、信件、照片和偶尔的探望，依旧使我们感到彼此没有距离。

1999 年夏，我们离开了水村，离开了朝夕相处了 6 年多的修女们。那 6 年里，我们的家庭，三个孩子的成长，无处不渗透着修女们的关爱和帮助。我们的情谊至今还像那清清的流水，在涓涓地流淌……

啊，水村！多么浪漫的地名！6 年多的水村的生活有太多不同的记忆了。1999 年，正当亮靓高中毕业时，我先生获得了去斯坦福大学胡佛研究所当一年国家研究员的机会，我们又要举家西迁。孩子们对这个充满温暖的水村是那样地依依不舍。是啊，习惯了小城镇的生活，谁知道等待他们的将是什么样的学习和生活呢？

第四章

大城市和小镇学校

(1999 年 8 月—2001 年 8 月)

　　惜别缅茵州的水村,我们在旧金山居住了一年,又到马里兰州的小镇生活了一年。同样是一年,不同的地方,不同的学校,差异何其之大!

　　旧金山是大多数中国人都熟悉的美国西海岸的大城市。在这座气候宜人的风光绮丽的海滨城市,那雄壮的金门大桥,有丰富海味的渔人码头,高楼林立的金融中心,早已闻名于世;还有那著名的学府,先进的生化高科技,计算机的圣地——硅谷,又是多少年轻人梦寐以求的学习和工作的地方。旧金山的一年,是那样地难忘,特别是在佳俐身上发生的一件事,非同寻常……

　　一年以后,我们来到了马里兰州的古老小镇切斯特,这里有一条从切斯皮克海湾分流出来的切斯特河流,横穿小镇,日夜不息地缓缓流淌着。从小镇开车到离美国的首都——华盛顿 D.C.只有四十多分钟,离宾州的首府一个小时,到纽约的曼哈顿也才两个多小时。这个得天独厚的地理位置,让小镇也曾经成为美国南北战争中的重地;如今,却成了很多这些周围大城市里的人们在周末来此静养的"世外桃源"。在这小镇的一年里,佳俐和汉青都是在与过去的学校,极其不一样的环境中度过的。他们体验到了小镇与大城市学校的不同,看到了美国城乡学校的差异……

"怎么会是我?"

我们都知道,如今的世界是一个生存竞争的社会。说心里话说,我不希望孩子们过早涉入这种竞争环境。但是,很多事情是无法选择的。发生在佳俐身上这件事,让她,也让我们看到了公平竞争的内涵。

这是怎么回事呢?说来话长了……

佳俐(左一)和她的同伴们,在小学五年级时获得的"总统教育奖"。("总统教育奖"是美国学校为了鼓励孩子们学习设立的奖励。在这个奖状上,有当年任职的美国总统、教育部长和孩子所在学校校长的签名。)

　　1999 年秋,我们的家庭有些变化。亮靓离开家上大学了,我先生要到斯坦福大学的胡佛研究所去做一年的专业研究工作。这样,我们全家就从东海岸的缅茵州的水村搬到了西海岸的大都市旧金山的硅谷附近。那年,佳俐开始上小学六年级,汉青上三年级,为了他俩上学,我们就在离斯坦福大学不远的一所比较好的小学附近,租房住下。

　　汉青虽然离开了以前的球队,十分不舍,但新学校和新球队同样对他有很大的吸引力,加之低年级功课相对简单,他适应起来比较容易,各方面倒没有什么影响。可对于 11 岁的佳俐来说则不一样了。首先,她不愿离开自己的朋友、同学和老师们,她曾哭着问我:"妈妈,为什么我们非要搬家？可不可以不搬家？"因为在缅茵州的小城,只有一所小学,一所初中和高中,她从学前班到小学五年级,同学们和好朋友们都相对稳定。六年了,他们一起长大,一起玩耍,一起上课,不但孩子们彼此间都比较了解,我们家长之间也常来常往。佳俐一直是老师们和同学们心目中最好的学生,也是大家可以信任的人！另外,在水村,六年级到八年级,是属于中学;可是,在旧金山的那个学校,六年级仍算是小学,七、八年级是初中。来到新的地方,佳俐一下子插到小学的毕业班里,一切都是那么陌生。班里的同学多数都是从小一起长大的,除了有一个华裔孩子、一个日本女孩、一个菲律宾女孩,其他全是白人的孩子们。而且,大多数的孩子是来自中产阶级以上的家庭,这些家庭富有且重视教育。班里同学人数比以前多了,重要的是,课本和老师所教的内容和方法也与过去所学有所不同,要求相对更高一些。不但英语课老师要求的读、写不一样,数学课的进程也不一样：有的部分她学过了,而这里还没教;有的是她没学,而这里的同学早会了。开始一两次测验,她成绩不好,心里很不高兴。那些日子里,她回到家里,第一件事就是打开电脑,和缅因的朋友们聊天。有时,她钻到自己的屋里,看着缅因的朋友们送给她的礼物和照片,悄悄地流泪……看到这些,我心里也很难过。我可以理解,她的心理落差太大,在新地方没朋友,成绩又下降,对比她过去在学校的情况，一个天上一个地下，她怎能不留恋缅因？怎能不难受？但我知道在这时候不能给她任何压力，只能想办法从正面疏导，让她慢慢地适应和熟悉环境。

我去拜访了佳俐的班主任，专门介绍了一下佳俐在缅茵州上学的情况；另外，当我看到学校里给六年级学生安排的两次外出活动：一次是 10 月份，组织学生到州里的一个州立公园集体野营一个星期；另一次则是来年的 3 月份，组织学生到太平洋的海上科学研究船上，去进行生物学的教学和实验活动。看到这两个活动，我不但积极鼓励和支持佳俐参加，也有意识地对她说："这样的活动，只能在这样的地方、这种学校才会有。你看，亮靓在缅因上中学，不但没有这种机会，连听都没听说过，像你们这样六年级的学生能到科学研究船上做实验，这是多好的学习机会啊！"佳俐自己对这样的活动也非常好奇和感兴趣。与此同时，凡是同学的生日派对或请她到家里去玩或过夜，我都鼓励她去。同时，她要和同学一起参加游泳俱乐部和踢踏舞蹈班，虽然收费不菲，我们也让她参加。我们希望通过这些活动让她能够尽快地调节心理，适应新环境。对于她学期开始时考试成绩不好的情况，我只是劝她："这种考试没考好，没什么了不起的。'万事开头难'，你才来，还不习惯这里，慢慢适应了就会好的。如果课堂上，你有不懂的要去问老师，妈妈也可以帮你辅导一下数学，你一定会很快赶上的！"佳俐毕竟是个上进心很强的孩子，当她逐步适应了新环境后，学习成绩很快地赶上来了。同时，佳俐也积极地参加学校和班里的各种活动，同学们和老师们也逐步了解她，喜欢她，她脸上的笑容比以前多了。

随着时间的推移，到了 2000 年 5 月，离佳俐小学毕业的日子越来越近了。在一个周末，只有佳俐和我在家，佳俐做完作业后跟我说："妈妈，今年我可能得不到任何奖了！"我没想到她会说这些，安慰她说："得不得奖，这没有什么关系。妈妈知道在这一年，你学习比以前任何一年都努力！你下了很大工夫把成绩赶上来了。用你的老师的话说：'好学生就是好学生，到哪儿都会是好学生！'佳俐，你是个好学生！即使没有获奖，又有什么关系呢？你要知道，妈妈真不在乎什么奖不奖的,你学习是否努力了,是否学到真本事了,这才是妈妈真正关心的!"我看到她低着头,就走过去拉着她的手,把她拥在身旁,她的泪水顺着脸颊悄悄地流下来,我的心里也在流泪。我明白,对于一个一直捧着奖状的孩子,想到别的同学能捧着一个个奖状,而自己将会两手空空,怎能不伤心呢? 但我又一想,还没有到学期结束,她怎么就知道不能得奖呢? 我又问她原因,她告诉我:"听老师和同学们议论,除了出勤奖、体育、文艺、绘画和义工奖,其余的奖是根据学生的成绩颁发的。我刚来时,考试成绩不好,班里有几个同学都比我好。"我说:"那你后来赶上来了呀! 有几次考试,你还做了额外的题,分数比别人都高啊!"她说:"我是赶上来了,但是,他们也不差呀?"她又告诉我,谁谁的英文怎样,谁谁的数学又怎样。听她这么说,我笑笑:"别想那么多,你是好学生,你努力了! 得不得奖,真的没那么重要……"说真的,我这才发现,在她的这些同学们之间,大家也把成绩看得很重! 虽然美国的学校从不公开每个人的考试成绩,连每个学期的成绩单也是直接寄到学生家里,但这些孩子们之间还是互相谈论,暗暗较劲。

我没想到,就在我们谈话后的那个星期二,也就是学期快结束的前两个礼拜,我突然接到学校打来的电话,通知家长一定要去参加佳俐的毕业典礼,并说"佳俐会获奖,但是,是什么奖,现在不能透露,佳俐本人也不知道"。并且,特地叮嘱我要"为学校保守秘密,不能提前告诉孩子"。接到这个电话,我为佳俐高兴,但我只能做到"心中有数"和"不露声色"。等到了星期五晚上,我对佳俐说:"还有两个星期,就是你们的毕业典礼了,你没有一条比较好的连衣裙,妈妈带你去买一条吧?"她说:"妈妈,不用了,我穿个短裙和短袖衣参加毕业典礼就行了。"我知道她内心深处的隐痛,还是觉得自己比别的同学差点,不愿穿得和别人一样正式。于是,我对她说:"佳俐,你知道,亮靓小时候,家里条件比较差,她上小学期间,我没给她买过一件新衣服,但是,她小学毕业时,我带她去商店,给她买了一条她喜欢的连衣裙,去参加毕业典礼。现在,妈妈也要给你买一条,就算是妈妈送给你的毕业礼物,好吗?"听我这么说,她答应跟我去店里看看。那个星期六和星期天,我们转了好几家商店,终于买到一条她喜欢也很合身的连衣裙。

毕业那天,佳俐穿上那条连衣裙,我们也着装正式,大家高高兴兴地去学校参加她的毕业典礼。和一般的毕业典礼一样,一走进礼堂,就听到毕业歌的音乐声。毕业典礼开始时,先是毕业班的学生们唱歌,然后,校长、老师、家长、毕业生代表讲话,发毕业证书,最后是颁发各种奖状。因为学校重视学生们的全面发展,获奖的项目也是基于同学们参加的各种活动,当一个一个奖状发出后,校长说:"现在,这最后一个奖,是杰出学生奖。这个奖,一式两份,一份学生自己保留,一份学校保留,并且将会长期挂在学校的墙上。你们会问,学校是怎么评选这个奖呢?学校除了根据学生平时在学校的表现,还根据学生三年的学习成绩,即把四、五、六三个年级的学习成绩先加起来,再平均计算,从最高的平均分数中,选出一名男生和一名女生。今年,这两名学生是赵佳俐和……"当我听到校长的话,我简直不敢相信自己的耳朵!尽管我已被提前告知,但我怎么也没想到会是这么个大奖!当我看到佳俐走到台上,从校长手里接过奖状,高兴的泪水潸然而下……事后,佳俐对我说:"我根本就没想到怎么会是我?!直到校长宣布名单前,我一直都以为会是苏珊!她的学习成绩很好。妈妈,我真没想到,学校还会与千里之外的缅茵州的小学校联系,把我过去的学习成绩调过来,我还以为……"实际上,我们都没想到会是这个奖!这时候,我对佳俐说:"妈妈现在可以告诉你一个秘密,学校两个星期前给我打电话,告诉我你会得奖,要我们父母来参加毕业典礼。但是,没有提到是什么奖,也要我保密,不要告诉你,我们根本不知道是这个大奖!佳俐呵,仔细地想想,学校真是很公平地对待每个学生。学校没有因为你来这里才一年,也没有因为你过去在其他学校上学,就不把你过去的情况和学习成绩计算在内,更没有因为你是一个亚裔学生,对你有所不同。学校像对待其他同学一样,看平日表现,计算每一个学生三

意外获奖的佳俐（中），非常感谢老师和学校的教育培养！这是她和班主任及校长的合影留念。

年的学习成绩，对你也一样！学校这样做，是真正地、公平地对待每一个学生，佳俐，你说，对吗？"佳俐点点头，笑了！她那发自内心的笑，是那样的甜美！

　　时至今日，每当我看到挂在家中书房里佳俐的这张照片，就想起这段非同寻常的往事，其间的深刻内涵对佳俐、对我们来讲，远远超越了这个奖状的本身……

小镇学校

2000年的8月,我们依依不舍地离开旧金山,搬到了马里兰州的一个挺小的历史名镇切斯特镇。说它"挺小",是我们去的那一年,整个镇里才有4 400多人,现在也还不到5 000人口,你说,是不是挺小的城镇? 镇上,只有一条主要大街贯穿东西,街两旁有几家商店。但在这个小镇上却有一所已经"上了年纪"的文理学院,被称为"华盛顿学院"。我先生到那所大学执教,孩子们又开始了新的中小学学习生活。虽然他们又转学了,从大城市转到比缅茵州的水村还小的新小镇,但是,他们在旧金山一年的生活经历,让他们明显地学会了如何适应新环境。可是,这里的生活和学习与我们过去的经历,又是非常大不同! 正是佳俐和汉青新的学生生活,让我们看到和体会到了美国教育的另一个侧面。

如同美国的其他小城镇,切斯特镇也是"麻雀虽小,五脏俱全",小镇里人们生活所必需的一切服务设施样样俱全。镇上有一所小学,一所中学和一所高中。但这里的中、小学划分的模式与缅茵州和加州地区学校都不同。缅茵州的六、七、八三个年级属中学;加州地区中学只有七年级和八年级。这里是一、二、三、四,四个年级属于小学;五、六、七、八,四个年级都属于中学;九、十、十一、十二,四个年级属于高中。因此,佳俐自然是上中学,汉青是小学的毕业班。

因为中学比小学早几天注册,我们就先来到佳俐的学校。一进校门,就见到了校长在大厅里欢迎大家。他听说我们是刚从加州搬来的,很热情地领我们到了他的办公室,并把学校负责注册的老师也叫来了。当校长看到佳俐的成绩单和老师的信后,高兴地说:"我们就需要这样的好学生!"并嘱咐负责注册的老师把她安排到高水准的班级。当我们谈到具体课程时,老师说:"今年七年级没有西班牙语课。"我们不解地问:"为什么呢? 我们看到学校的介绍,去年不是有吗?"校长解释说:"是的,去年有西班牙语的课。可今年到现在还没有雇到教七年级西班牙语的老师,不能开课。所以,只有八年级还有西班牙语的课。"听到校长的解释,我们有点意外,"没雇到老师?"我有点儿纳闷,但因为第一次见面,我们也没好意思深问原因。但是,我们很诧异,佳俐尤其失望,因为她在缅茵州的同学从六年级进了初中,就开始学西班牙语或法语。她到加州上六年级,算小学编制,没有第二外语,原指望到这里总是可以了吧,没想到这里居然是没有教西班牙语的老师! 看到佳俐那么失望,我们就问校长:"可不可以让她插班去学西班牙语?"那位老师说:"那可不行。那样她的整个上课时间没法安排;另外,八年级的学生,都已经学过一年的西班牙语了……"佳俐又不能学西班牙语! 我们都感到深深的遗憾,这可是我们谁也没有想到的事! 实际上在美国,由于拉丁裔人口增加很快,西班牙语已成了除英语以外的第二大语种,很多美国人都学过西班牙语,再加上那么多从拉美国家来的移民,怎么会雇不到教西班牙语的老师呢? 这个疑问还没解开,发生在汉青学校的事又让我体会到什么是师资匮乏。

那是开学两个星期后,汉青回到家很得意地告诉我:"今天的家庭作业很简单,十道两位数加减题,我在回家的校车上,两分钟就做完了。"在校车上做作业? 我可是第一次听说。我似信非信,说:"把作业拿给我看看。""没问题,给你!"儿子很自豪地把作业本递给我。我一看,做得全对,可都是"12+16"、"20-13"之类的简单加减法。我记得他在加州已经学过了这些,就问他:"你不是学过这些吗?"汉青说:"是的,我是学过。可是,班里有的同学连'14+12'都忘了,老师得从头开始复习。""真的呀? 怎么会是这样?"我当时有点急了,决定找老师问问情况。第二天下午放学后,我找到他的班主任老师。这位老师是一位牙买加移民,在美国上过大学。她很客气地招呼我坐下,问我有什么事,我告诉她,汉青在加州的学校已经学过了一位和两位数乘法、简单除法、分数和小数的基本概念,我还把他在加州学校做的作业本带给老师看。老师说:"这样吧,明天,我们给他进行一次英文和数学的测验,如果证实他确实已经掌握了这些,我再和学校商量,看怎么解决这个问题。"大约一个星期后,我们收到学校的通知,让汉青参加"Gifted and Talented Program"。当时我们很高兴,总算可以让他多学点东西了。可等他参加了这个GT后,我们才知道,因为教GT课的老师必须要有专门的证书,这个学校GT只是加强学生的英语阅读和写作的课,并且一周只有两次课。在学校的家长会时,我找到了教GT的老师,问她为什么没有数学方面的GT课? 她告诉我:"四年级本来有三位老师可以教GT,现在只有两位老师,有一位老师今年迁到城里的学校去了。现在这里人手不够,我除了教GT,还要负责学校其他的事,根本没有时间再教GT数学。"听着老师的解释,我无言对答,陷于一种莫名的失望,原来小镇的老师是这样的缺乏!

　　大约两个月后的一天,我碰到佳俐的小提琴老师,他问起佳俐在学校的情况,我谈到外语课的事,他笑了,说:"你知道为什么吗?"我才来不久,看到这些虽有疑问,但哪能知道原因? 我说:"我不知道。"他说:"告诉你,是因为学校给老师付的工资太低,所以雇不到老师。你想想看,西班牙语现在这么热门,老师找工作很容易,谁不去工资高的地方? 你知道,这个中学里没有管弦乐队,他们曾经找过我去教音乐课,可付的工资那么低,我没答应。现在我自己开班,我有六十多个学生,总收入加起来,比学校付的工资高多了! ……"他还告诉我,不少老师离开这个小镇,到马里兰州的巴尔的摩、安纳布勒斯这样的大城市学校,那里付的工资比这里高多了。他的这一番话,终于解开了我的疑团。然而,随着孩子们在学校上学一段时间后,我发现,学校的教育经费的不足不仅体现在师资匮乏上,也直接影响到学校的教学和其他方面。

　　开学不久,上中学的佳俐从学校回来告诉我,学校里的自然科学课是教最基本的化学和物理学,可是老师说,因为学校经费不足,没有钱买做实验用的仪

器和材料,只能是"照本宣科"。我一听,头都大了。化学和物理课,只照书本上
讲,不做实验怎么行? 这两门课都是实验性很强的课程,尤其是对初中生,实验
可以让他们非常直观地看到什么是基本的物理反应和化学反应,也可以引起他
们对自然科学的兴趣。实际上,老师只要通过简单的实验,如混合红和黄两种
颜色,或简单的酸和碱反应实验,就可以非常直观地向学生解释这些问题,也可
以让学生自己在实验室里做这种简单实验。难道连这么简单的实验都做不了?
佳俐说:"是的,老师说了,没有钱买那些试剂和用具。"她还说:"物理课也一样,
老师只是在课堂上向我们展示了磁铁,用以解释'同性相斥,异性相吸'的原理,
没法让我们自己试试。"不过,佳俐接着告诉我:"你知道吗,我在加州的学校已
学过了这些。那时,我们学生还自己动手做过这种实验,可惜,这里的学生就没
这个条件……"我看着她许久,心里想,这里的教育条件与加州那所学校相比,
差别实在是太大了! 也许,因为我本身是学习化学专业的,深知实验的必要性
和重要性,尤其是对初学者,所以当我听到这情况感觉实在很糟糕。在学校的
家长会上,当我见到教佳俐自然科学的老师,特地和他谈起做实验的事,他非常
无奈地告诉我:"作为教了快三十年书的教师,我心里非常地清楚实验的重要
性,也为现在这种教学方式感到愧疚。但我没有办法,这几年,学校教育经费逐
年递减,很多东西受到限制,我这当老师的也难啊!"他还对我说:"自己年龄也
大了,等明年达到退休年限,可以拿到一定的退休金时,我就不想再干了……"
老师的坦诚和无奈,引起我的深思。他的话也在我脑海里存留至今。

　　除此之外,还有一件让我难忘的事,就是在参加学校的家长会时,在社会科
学课的班里,老师先详细地向家长们介绍了他的教学计划,接着,老师拿出一大
卷棕黄色的纸卷,说:"现在班里有很多同学上课时总打喷嚏。我从家里带来的
擦鼻涕纸都让他们用完了,这是一位学生跑到厕所拿来的纸。这种纸比较硬,
有的学生擦得鼻子疼。如果你们家长能够捐赠一些擦鼻涕纸,我代表学生表示
感谢……"看到老师手里的纸卷,听着他的这番话,我和其他家长一样,心里很

不是滋味。回家后,我和佳俐谈起社会科学课的老师的话,她说:"你注意到了没有,我们的教室里没有窗户！二十八个同学坐在一间屋里,又没有很好的通风设备,有时教室里气味难闻,老师就打开门,打开风扇,让班里的空气循环一下。有的同学过敏,就打喷嚏……"我是注意到了教室里没有窗户,但不知佳俐说的这种情况。我问她:"佳俐,我怎么以前没听你说过这事?"她说:"这有什么好说的,我们的英语课和自然科学课的教室都没有窗户。我才来时也很奇怪,怎么会是这样的教室? 后来,同学们告诉我,这个楼是过去盖的,有的教室有窗子,有的就没有。老师们说了,学校的教育经费有限,他们除了自己给学生准备擦鼻涕纸和其他东西,也希望你们家长能帮助学校,这是老师让交给你们的Wish List。"我说:"今天在学校开家长会,你的班主任发给我们每个家长一份,我已经看过了。"这个 Wish List,就是老师希望家长们捐赠的东西,上面写有:

女儿在切斯特河上泛舟。

擦鼻涕纸、订书针、胶纸、各色彩笔，等等。作为学生的家长，我们是会为学校捐赠一些物品，但这怎能解决根本问题呢？

看到这里，相信你会和我有同感，美国的学校之间存在着很大的差别。这个小镇的中、小学师资缺乏，教育经费有限，教学设施和实验设备也欠缺，这就是当时佳俐和汉青上学时的真实写照。正因为经历了这些，我们才明白，在美国这样一个富裕国家，也非处处都是黄金，这里的学校情况不正是向我们展示了美国教育中的另一侧面吗？如果我们不是有机会来到这里，也许，我会一直认为美国到处都是鲜花盛开的美景……

"我赢了二十块钱!"

　　当你看到佳俐和汉青在小镇上学的情况,你也许会问:"你有没有想到给孩子转学呢?"坦白地说,我不但想过,还到当地的私立学校去了解过情况,并且和那里的校长谈过;另外,我还登门请教了镇上唯一一位从香港移民来的中国医生。他们在镇上住了二十多年,四个儿女都是在这里出生的。他们的孩子从小学到高中全进的是私立学校。我见到他们夫妇时,他们的孩子一个在哈佛大学,一个在康乃尔大学读书,另外两个正在读高中。当我了解到私立学校的情况后,很想把孩子们转到私立学校去,但我得先同他们商量,根据他们的想法再做决定。

　　佳俐不愿意! 她觉得私立学校学费太贵,这个公立学校条件虽然不好,但是,她的英语和数学老师,都是很有经验的老师,她很喜欢他们;另外,她说,等她上八年级时,只要她成绩好,她可以到镇上的高中上自然科学的课。她还给我列举了当时学校八年级的一个印度孩子,父亲也在大学教书,他学习成绩很好,其他的课都在中学上,自然科学的课就到高中去上。她也听说了那位医生的孩子们上的那所在全国都排得上名次的私立高中,说她愿意今后到那里去上高中。

　　至于汉青呢,他一个九岁多的小男孩,玩是第一位的,无所谓在哪儿读书。尽管他当时就读的小学与过去的学校非常不一样,但也从未和我提到要换学校的事。你大概也不会想到,汉青小学的校长是黑人,老师是黑人,他的班里有二十个学生,除了汉青和三个白人的孩子、一个美国和菲律宾人的混血儿,其余全是黑人的孩子。我们第一次到学校去给汉青注册,见到那位黑人女校长,她很热情地欢迎我们。同时我们也看到学校里有不少黑人老师和学生,但不知道黑人学生占这么大的比例。对于在美国出生长大的年轻一代,他们是听着马丁·路德金的"我有一个梦想"长大的,他们虽然不太介意什么白人、黑人、黄种人等人种的肤色不同,但是,在很多城镇,比较好的住宅区,还是很少看到黑人的。正是由于这个原因,我想,汉青从小是在白人聚居众多的地方长大的,从来没有机会接触这么多黑孩子,这也许是"天赐良机",让他有机会与黑人孩子一起学习,了解他们。这对他今后的成长,尤其是长大以后需要与各种人相处共事会有一定的好处。这就是尽管从一开始我们已注意到这个学校的特点,但依然让汉青去这个学校原因。汉青自己呢,虽然他也觉得学的东西太简单了,有的也很枯燥乏味,但从未抱怨过,每天都是高高兴兴地上学。虽然汉青后来上了GT英语班,但是,数学课可以说是让他整整滞后了一学年。这让我很懊恼,我心里还是准备给他办转学,但是,当他告诉我数学课的情况后,我改变了想法。

那是一个星期四的下午,我照例送汉青去踢足球。从我们的住处到足球场开车要15到20分钟,但这却是我们母子聊天的好机会。他一上车,就兴奋地说:"妈妈,今天,我赢了二十块钱!"我很奇怪,他上了一天学,到哪儿赢钱?便问他:"这是怎么回事? 你怎么会赢钱?"汉青说:"你别急,是老师给的钱,是假钱! 但是,我可以用这个钱,在学校的商店买东西。"我就更奇怪了,"你快告诉我,老师怎么会给你们钱?"他说:"老师让我们背九九乘法表,每星期背一个数字,这星期是从 $2\times1,2\times2$ ……一直到 2×12;下个星期是 $3\times1,3\times2$ …… 3×12,然后是 4,5,……;最后一直到 12×12。我最先背完了 2×1 到 2×12,老师就给了我二十块钱作为奖励。"我明白了,笑这对他说:"呵呵,老师还真有办法。那还有别的同学赢了吗?"他说:"还有一个,是汤姆,就是那个黑孩子,他是班里最聪明的一个黑人孩子。""那么,威廉姆呢?"我知道威廉姆是一个很聪明的白人孩子,"他没有赢,他背错了一个数字。""噢,看来这老师要求还挺严格的。""那当然了!"汉青很得意,并且告诉我,每天的数学课,有一半时间,老师是先让他们自己做练习题,自己记,也可以同学间互相背,等你完全记住了,告诉老师,单独到老师那里去背。"那老师有规定什么时间必须背完吗?"我问汉青,他说:"老师没有规定必须哪天完成,但是,基本上是一个数字一个星期,在这一星期内,你只要会了,任何时候都可以找老师去背。"汉青的一席话,让我感到有点意外,也有所震动。说着说着,我们到足球场地了,汉青看到他的一帮足球小伙伴们,就赶快下了车。因为足球场离我们的住处挺远的,我就干脆坐在旁边的草地上看他们踢球,有时也和其他孩子的父母聊聊天。

看到那一望无际的绿草坪,一群群生龙活虎的小孩子们,穿着红色、黄色、绿色不同颜色的足球队服,尽情地奔跑和追赶,踢得多开心啊!可是,我的脑子里还是在想刚才汉青的话和他的老师教数学的方法。在美国的小学里,让学生们背"九九乘法表",我是第一次听到!从亮靓到佳俐,从未有过这种经历。我是在国内上小学时背过"九九乘法表",那是从 1 到 9,这位老师是从 1 到 12,比我背得还多。由于我从小熟记了"九九乘法表",对我后来的数学学习有非常大的帮助。因为无论是简单的个位数乘除,还是多位数的乘除,乃至高等数学,这个基础坚固与否都很重要。汉青的这位黑人老师受过很好的教育,看来对学生们还是很负责;再说,虽然目前汉青数学课程的速度慢一点,但通过背乘法表,让他把最基本的也是最重要的基础打好,从长远的观点来看,难道不是有益的事吗?说不定这也是"莫道昆明池水浅,观鱼胜过富春江"。想到这些,看着眼前这群活泼的孩子们,我突然注意到,这么大的地方,这么多小足球队员,除了汉青一个中国小孩,其余的全是白人的孩子,没有一个黑孩子!而一个星期前,我送汉青去试试参加篮球队,那儿则全是黑孩子们,竟然没有一个白人的孩子!而且,很多孩子年龄和汉青差不多,但长得都比他高大多了,汉青和他们一起打,总是接不到球,就只有作罢了……目睹现实,我意识到,尽管社会本身是多色彩的，但是，有的时候，色彩间的界限还是隐约可见。其实，在这白与黑之间，再加上一点黄，这不也是一种淡雅悦目的颜色吗？

　　当我想通了这一点后，我决定不再提转学的事，要让汉青在不同的环境里自由发展，也要让他学会"既来之，则安之"。从那以后，我自己也主动参与学校的活动和帮忙，如协助老师准备一些教具之类的事。和老师熟了以后，有一天我问她："您让学生背乘法表，为什么要到12呀？"她说："1到9是一位数乘法，对他们来说，应当不是很难；10、11和12是简单的两位数乘法，让他们背是让他们了解一下两位数乘法的特点。如果太多了，他们又没兴趣了。"老师的话确有道理。在班里，汉青的数学比别的同学好，他能主动地帮助其他同学，和大家一起参加学校里的各种活动。他的黑人同学请他去生日派对，那是他第一次参加

凭借切斯特镇的独特地理位置，我们一家得以应邀参加在华盛顿举行的中国国庆庆祝活动。

一个黑人小朋友的生日派对,我专门问了汉青那孩子平时的兴趣和爱好,买了适合那孩子的礼物,让汉青带去。汉青回来后告诉我"大家玩得很高兴"。他的白人小朋友,也常常约他去家里玩和过夜,很多周末他都在朋友家度过。看到汉青每天都开开心心地去上学,也开开心心地回到家,我心里也高兴。尽管他的数学是相对滞后了些,但我想,他今后会赶上的。

"突击"西班牙语

我们都没有想到,位于科罗拉多州丹佛市的丹佛大学希望我先生去那里工作,那份工作更适合他的特点。这样,我们又要搬家！搬家对汉青的学习来说,没有太大影响,因为他还在上小学,即使有些差异,那是比较容易赶上的。可对佳俐来说就不一样了。首先,碰到的难题就是西班牙语。当她知道我们要搬到丹佛,她自己查了一下丹佛地区学校的情况,告诉我们,那里的中学生从七年级开始学西班牙语了,而她,将上八年级了,还从未学过西班牙语,怎么办?

我们很理解佳俐的心情和她将要面对的情况。当时决定要搬家,已经是快接近中小学的期末,我们只能是利用暑假来给佳俐补习西班牙语了。佳俐首先想到罗玛老师。我们觉得这是一个好主意。罗玛是一位在高中和大学教了三十多年西班牙语很优秀的退休老师,她是我们在缅茵州时认识的好朋友。如果她能教佳俐学西班牙语,那真是太好了！只是我们担心罗玛年龄大了,教语言会占用她很多休息时间;而且又是在暑假,她自己的儿女和孙儿孙女也常常从外地去看她,甚至会在她们靠湖边的房子住上几天;另外,他的老伴还有高血压。如果佳俐去,会给老两口带来一些不方便。但想来想去,似乎又没有其他更好的方案。于是,我们试着和罗玛商量此事,没想到,罗玛一口答应！说她非常高兴能有这种机会教佳俐学西班牙语,并且说:"佳俐很聪明,我会专门为她设计一套方案,让她能在两个半月内,学完一学年的课程。"哇！我们从未想到,罗玛会这么爽快地答应,而且还这么胸有成竹！佳俐听了非常高兴！这一好消息,终于将压在我们心头的一块阴云带走了。

当我们和罗玛商量具体的时间安排、吃住和接送等具体事时,我们说:"佳俐要在您家住两个半月,您又要教她课,花费很多的时间和精力,我们准备让佳俐带点钱给您。您看多少合适呢?"因为我们知道,这种一对一的私人教学,费用通常是按小时计算,多数都在一小时五十美金以上计算;除此而外,佳俐还要在那里吃住,这对于一对已到古稀之年的老人来说,总是有些麻烦。可是罗玛说:"我是义务教佳俐学西班牙语,不要你们付钱。佳俐就像我自己的孙女,免费吃住……"虽然我们知道罗玛家境不错,但是,毕竟他们老两口都退休了,而且,佳俐在那里住那么长时间,我们怎么能让佳俐空手而去呢?我们和罗玛谈了好久,她谢绝付钱,她强调"教佳俐学西班牙语是她的一种荣幸"。既然如此,我们只能让佳俐带去一份礼物,以表达我们的谢意。

佳俐还记得,一到罗玛家,就感到与往日去时不一样,从门到窗户,从电视机、冰箱、烤箱到桌椅板凳、床铺,全都贴上了英语和西班牙语的双语字条。罗玛见到佳俐,一边拥抱她,一边用英语和西班牙语开心地对佳俐说:"欢迎到罗玛的班里学西班牙语!"罗玛的开朗和热情,让每个和她在一起的人也都变得很活跃和充满朝气。还记得在缅茵州时,有一次,罗玛和她的先生来我们家里做客。晚饭后,佳俐在弹琴,罗玛听到那熟悉的音乐便情不自禁地跳起来了,我正好拍下了这个镜头。你会相信吗,罗玛当时已是七十出头的人了!

罗玛在答应教佳俐后,自己先找到了丹佛市中学用的西班牙语教材,然后根据她多年的教学经验,专门给佳俐编写了在两个半月的时间内涵盖一年教学内容的特殊教案,并且和佳俐商量了每天的课程安排。从星期一到星期六,罗玛每天上午九点到十一点,下午两点到三点给佳俐上课,其余的时间让佳俐自己做练习、看书、游泳或和其他朋友玩。晚饭后,罗玛会用半小时左右的时间,和佳俐一起回顾一下当天学的内容。星期天,他们上午去教堂,下午有时去买

罗玛真是个热情、开朗的好老师。看！佳俐在弹琴，罗玛在随着音乐翩翩起舞。

点东西，有时佳俐到她过去的朋友家去玩。平时，罗玛常用教过的西班牙语的字句和佳俐练习对话，还让佳俐每天听用英语和西班牙语双语录制的简单会话。他们还常常在一起玩牌，玩牌时，罗玛就训练佳俐说简单的西班牙语。罗玛的上大学的孙女来看她时，也帮着佳俐练习西班牙语。罗玛夫妇有时也带佳俐去墨西哥餐馆，让佳俐有机会听说一点西班牙语的对话。当然啦，佳俐是非常珍惜这种难得的机会，也很认真地学。她说："每天晚上睡觉时，我都会想一遍当天学的内容和单词，试着记住那些词，因为第二天罗玛要测试，而且每天都有新的单词和句子要学、要记。"两个半月的时间很快地过去了，当佳俐含泪依依不舍地告别朝夕相处了七十多天的老师，回到家里时，面对她的是新的城市，新的学校，新的老师同学和一系列考试。

新的学校是位于科罗拉多州和丹佛市非常好的著名学区。它的小学、初中和高中连成一片,学校面对碧波荡漾的湖面,背靠巍峨壮丽的落基山,是块"风水宝地"。在这里读书的学生们,成绩好的小学生可以到中学修课,同样,优秀的中学生也可以到高中选课。当然,修这些课是要通过任课老师们的推荐和签字。当佳俐到学校报到时,他们一看是从外州转学来的,立即告诉她要进行英语、数学、自然科学、社会科学和西班牙语的考试,以便于根据她所学的程度分班。佳俐通过这些考试后被分到了八年级的快班。当佳俐的西班牙语的任课老师知道她的学习过程时非常惊讶,她竟然能在这么短的时间里,掌握了西班牙语的基本知识。佳俐把分班的事打电话告诉远在东海岸的罗玛时,罗玛高兴地说:"太好了,太好了!"并且鼓励佳俐好好学习。佳俐上高中后,依旧继续学西班牙语。高中三年级时,经老师推荐,她参加了全美国西班牙语作文比赛,得了第三名。罗玛和我们都为佳俐高兴。

重要的是,罗玛这种无私奉献的真诚和乐于助人的精神,给佳俐的影响远远地超出了授课本身。佳俐在中学时代,常常帮助同学和参与社会上的义务活动;她上大学后,曾主动地与在印度的一个国际教育组织联系,只身到了印度一个偏僻的小山村住了四个月,教那里无法读书的贫穷儿童学习英语;在大学四年级的上半学期,她自己用了大量的课外时间去申请经费,准备在学校内建一个有机菜园,拿到经费后,她联系了学校的有关部门和老师,得到了他们的支持;同时,她又组织同学们一起,在大学的校园里建起了一个有机菜园……这虽是一件件不起眼的事,但是,我可以看到是一种无私奉献社会的精神在引导着她……

如今,当我写到以上这些,我心里真的很难以平静,眼泪也常常悄悄落下……尽管我的眼前不时地浮现出罗玛的音容笑貌,可是,我也只能是再次在心里感激这位难得的好朋友!但愿已在天国里五年多的罗玛,能够知道我们对她深深的怀念和感激……你想,一位普通的美国人和我们素昧平生,当缘分让我们聚到一起,成为好朋友,在我们需要帮助的时候,她是那样毫不犹豫地伸出了温暖的手,我们能不从内心深处深深地感激和怀念她吗? 这么多年了,她的一言一行都给我们,更给年轻的孩子们,留下了深刻的印象和深远的影响!

　　从旧金山到切斯特镇,一个是繁华的现代都市,一个是小巧玲珑的古老小镇,环境截然不同,但都让我常常想念。那两年的阅历和见识,对孩子,对我们,都是不曾在美国其他地方体验到的,让我们有机会全面地看到了美国的社会和学校不同层面,也因此而难以忘怀……

第五章

风华正茂的年代

(2001 年 8 月迄今)

　　位于落基山麓的丹佛市,是科罗拉多州的首府。她面对无垠的大平原,背依巍峨壮丽的落基山。这里的海拔偏高,气候干燥,阳光灿烂,一年的光照日有 300 多天,这世间少有的地理位置和自然环境,让丹佛市具有其他省会城市无法相比的优势。这里有设计独特的国际机场,有世界著名的滑雪胜地,有景观奇特的科罗拉多大峡谷,有"高山出平湖"的清澈剔透的湖水。丹佛和中国的渊源还可以追溯到百年前,当年辛亥革命在国内兴起时,孙中山先生正是在丹佛市从事募捐活动。

　　转眼间,我们在丹佛居住快十年了。十年,这其间的变化,何其之大！亮靓已经结束学业,开始工作了;佳俐也刚拿到大学毕业证书;汉青到丹佛时,还是小学生,如今,已是大学二年级的学生了。丹佛的山山水水,一草一木,都给他们留下了美好的回忆。

　　尽管他们已经展翅远飞,但当年他们曾经参加过的丰富多彩的学习和业余生活、舞会、厨艺、玩游戏机、装家具、装电脑、回中国等故事林林总总汇集于此……

佳俐补数学

很长时间以来,我就听说美国孩子们的数学考试成绩不如中国、新加坡、韩国等亚洲国家同年级的学生们,但我没有很认真地思考过"为什么",主要原因是自从亮靓小学时的老师那封"警告信"后,我就没再具体过问他们的各科学习,让他们自己"入乡随俗",按照老师的教学计划,按部就班地学。可是,因为我先生的工作变换,佳俐的初中阶段是六年级在加州,七年级在马里兰州,八年级到丹佛上学。到了丹佛后,她又被安排在八年级数学的快班。这本来是好事啊,但因为美国各州的教学课本、进度和要求有所不同,到了这个数学快班,课本上有的内容她学过了,这里没有教;而有的又是这里已经教过,她却没有学。尽管八年级,他们应当学的是平面几何,但刚开学,老师还是要先复习学生们曾经学过的代数。开学后的第一个星期下来,佳俐感到数学蛮吃力的,因为有些代数题的算法,她在七年级没有学到。虽然,老师每星期都有定时的辅导时间,但佳俐告诉我:"别的同学也有问题要问老师,我不能总让老师给我一个人解释。"在这种情况下,她要我辅导她一下,我欣然答应。

当我仔细地看了她的数学课本、老师布置的作业和她课堂上记的笔记后,我发现,同样的一道题,他们解题的方式方法和我们不一样。就以当时佳俐做的"因式分解"题来说,分析和思考解答题目的着重点是一样的,但是,解题方法不一样。在中国时,我学的是"十字交叉法",而他们是采用数字配对再取舍的方法。虽然两种算法的最终结果是一样的,但是,"十字交叉法"相对快而准确。

当我把这种"十字交叉法"解释给佳俐听时,她开始有点半信半疑,因为她在学校从未听老师提到过这种方法。对于学生来说，老师的话当然是"圣旨"，她很难一下子接受的我的算法。为了证实我的解法是正确的而且简便易学，我先用这种方法计算了她的书上例题给她看，再让她选两道题，我们俩用各自的方法同时做。结果，我已经做完了，她才开始做第二道题，而最后我们俩的计算结果是一样的。这时，她愿意跟我学了。当她掌握和熟悉了这种方法后，她发现自己做题的速度比以前快多了。尤其在考试时，她把做这类题省下的时间用于做其他题目。

大概一个多月后，当佳俐的数学基本上与班里的同学们可以同步前进时，她不要我帮忙，我也乐意"下岗"了。有趣的是，数学对汉青来说是比较容易的，而他自己学得很好，中学时还参加校队四处比赛，不存在让我辅导的问题。可是，当我知道他学到"因式分解"那个部分时，我也建议他采用"十字交叉法"进行计算，他开始根本就不理会我的话，直到佳俐对他说"这方法很实用，计算快而准确，容易学也容易记"。并且说她自己学会这种方法后，就一直用这种方法做这类题，几乎没有出过错，而且解题速度快。这样，汉青也学会了用"十字交叉法"来算题。当汉青上高中一年级时，刚开学，数学老师要全面地复习一下初中学过的数学，其中也有因式分解的题。课堂上，当老师看到汉青在用"十字交叉法"做题时，老师问他："你怎么会这种方法的？"汉青说："是我妈妈教我的。"老师笑了，说："我也用过这种方法……"原来，这位教数学的年轻女老师是一位出生在美国的华裔后代，她曾在旧金山的一个很好的高中教书，前不久，因她丈夫的工作调动，搬到丹佛。当汉青那天从学校回来，很高兴地告诉我这件事时，我说："怎么样，妈妈教你的方法没错吧！连你的老师也用过这方法。看来，可能不少华裔的孩子都知道这种解法……"

美国高中生们的数学，程度是参差不齐。学生们虽然是在同一个年级，但每个人所修的课程内容不一样，难易程度也不一样。有的学生可能还在学代数和平面几何，有的已经在学三角函数或解析几何，有的已开始学习微积分，还有的在学统计学了。高中里,给学生们提供的数学课的种类和教学层次是多样化的。因为美国的高中也像大学一样,是采取学分制,这就让高中生们可以根据自己的兴趣、特点和今后的目标,选择课程。我们的三个孩子,从初中就进入数学快班,到了高中阶段,他们数学的学习进程一直在比较高的水平上。当时亮靓是在缅茵州的小城镇上的高中,高中里最高的数学课就是学习微积分。她在高中学完微积分后,上大学后,还修了一点大学要求的数学课。而佳俐和汉青在丹佛上的高中。这所高中,除了设有微积分外,还提供大学水平的数学课。因此,佳俐和汉青都在高中的最后一年,学了大学水平的数学,考试成绩也很好,分数达到了大学的要求。这样,他们俩上了大学后,根据专业要求,可继续修数学,也可以不再上数学课了。佳俐到大学后,选学的是历史专业,这样,她就把免修数学课的时间,安排选学其他课程。

看到这里,你也许会想,这多好啊!是的,这当然是好的一面,但是,如同任何事物一样,这也有正反两面。他们学习的数学面是比较宽,学得多,也学得快,但是,也忘得快!为什么呢?因为他们没有反复练习的习惯。他们按照老师的教学,一步一步学,一章节一章节考,一本书教完、学完、考完,就完成了。对多数学生来讲,他们会认真地听老师讲课,明白基本原理,学习计算方法,按时完成老师布置的家庭作业。但是,在这个过程中,由于他们平日练习少,更谈不上举一反三地做各种类型的题目,也不会每天记忆和背诵基本的数学公式,当然是学得快,忘得也快。他们的数学老师基本上是照本宣科,不会给学生布置额外的数学练习,除非某些学生们要参加数学比赛,老师会专门组织学生做一些课外的数学练习。就以佳俐为例来说吧,她上大学后,免修数学;可是,当她大学毕业,准备考研究生时,她也必须考"GRE"这个研究生入门考试,考的内容包括数学、语言和写作三个方面。她仅仅是大学四年没接触过数学课本,当她准备考试时,她发现那些数学题似曾相识,可不知怎么解答,曾经学过的计算方法几乎都忘记了!她不得已又花费了一些时间复习那些曾经学过的数学,准备考试。当然啦，毕竟她学过，有一定基础，花点时间复习，考试的成绩还是挺好的。

　　总之，数学是一门重要的基础学科。虽然我只是在短时间里给佳俐辅导了一点代数，却让我有机会看到了美国和中国在学习数学方面有所不同。我教会了佳俐和汉青学习和运用"十字交叉法"解"因式分解"题，这给他们和我都留下了一个有趣的回忆……

小佳俐做大课题

　　当年亮靓上高中时,在学校老师的帮助下组建了学校的辩论队,这让她得以发挥自己的兴趣爱好和培养一种领导能力。那是学生们的一种业余活动,那么,在学生的学业上呢? 实际上,在美国的学校里,学生们除了可以尽力发挥他们的业余爱好,在学业上,在各种学科的学习和竞赛中,学生们更是可以"八仙过海,各显神通",尽情地发挥自己的想象力、创造力和主动性,去做各种大胆的尝试! 在这里,我想告诉你的是佳俐在高中时,完成的一个"大课题"。

　　佳俐在高中二年级暑假,自己联系到丹佛城里一个安排临时工的非营利机构去做义工。在两个月的时间里,她看到了许多墨西哥人、合法的和非法的移民们,每天到那里去找临时工作,如帮助人家打扫院子、割草、刷门窗和房子之类的杂活;或者有些包工头临时缺少人手,也到那里找临时工帮忙。这种工作,没有任何福利,没有固定时间。通常是活干完,付钱走人。有时碰上包工队的活,他们至少可以干上数月或半年,会有点收入;但有时,他们在那里等半天,也找不到一点活干。佳俐告诉我,她看到有的人每天都去那里等工作,时常找不到活干,很丧气,但也没办法。令她惊奇的是,有些雇主不但拖延付款,有的还以"活干得不好"为理由,干脆就不给他们支付工钱。我说:"雇主这样做是违法的呀,他们可以告这些雇主啊!"佳俐说:"这些墨西哥人才不敢告呢! 因为他们有的人有身份问题,有的是非法移民,只能忍气吞声。有时看到他们那样子,我真觉得挺可怜的。"那段时间,她经常会和我们说说那里的见闻,探讨一些有关移民的事情。有一天,她对我说:"我在那里工作了一个多月了,就没有看到一个亚洲人到那儿找工作,几乎都是墨西哥人和一些黑人。你说这是为什么呢?"我当时也没太多想,就说:"多数亚洲人,尤其是近代的中国人、日本人、韩国人、印度人等等,他们大多数在本国都是受到过很好的教育。到了美国后,很多人又继续读书,获得更高的学位,都是学有专长,当然可以在美国找到很好的工作了。你看到的这些墨西哥人,他们的英语怎么样? 他们受到过好的教育了吗?还有他们有些人本身是非法移民,当然不好找工作了。"佳俐说:"我知道,教育程度高低是一个方面,但是,为什么亚洲人的受教育程度要远远高于墨西哥人呢?"我说:"佳俐,就我们中国人来说,我们的传统文化就是重视教育,从几千年前的孔老夫子就开始了……"佳俐反过来问我:"那么,墨西哥人的文化呢? 他们的文化强调的是什么? 我看到他们这些人,有的人也很年轻,和他们一谈,他们有身份,但他们就是不想去上学。你说,这是为什么呢?"我一时无语,我真的还没有深想过这个问题,也从未做过这方面的研究,无法回答她的问题。过了好一会,我说:"我还真不清楚他们的文化核心的是什么。我只是感觉到,他们好像也是很重视家庭关系,很善于唱歌跳舞,是个比较勤劳的民族。"我的回答,当然是"解不了"佳俐的"近渴"。也正是这样的疑问,让佳俐在新学期开始后又多了一个课题。

开学后,她和老师谈到暑假做义工的情况,并且告诉老师她想做一个有关在美国的墨西哥移民的研究。老师觉得佳俐看到的墨西哥移民问题,是一个很有意义又非常复杂的课题,但作为一个高中生,要做这方面的研究还未有先例。老师说:"我要与教研组的领导商量一下,再告诉你怎么办。"几天后,老师告诉佳俐:"教研组的领导和有关老师一起讨论了这问题,大家觉得根据你的学习情况和你的要求,可以给你安排作为'independent study'去做这个研究课题,即以自学为主。你自己找有关资料,老师定期辅导,跟你一起讨论,然后,你写成论文。到学期结束前,进行一次类似大学的论文答辩,成绩也算做一门社会科学的学分。"佳俐很高兴能有这种机会,她跃跃欲试!

但是,这个课题是有关美国的移民问题,这本身就是一个非常棘手同时又存在着许多难以回答和解决的问题。移民问题并不仅仅牵涉到文化,还涉及许许多多其他诸如政治、经济、社会福利因素。因此,老师和她反复地讨论了具体可行的命题,佳俐根据和老师的讨论,列出了非常详细的提纲。仅目录,她就写了十七页,从引言到结论,从每一部分,到每一章的具体内容的小标题,都逐一列出。她从历史背景、政治因素、经济收入、社会福利、文化对比和生活习惯以及民族的特点几个方面来阐述,并且提出了自己的建议和解决问题的办法。说真的,在我写这件事时,我把她的这本论文找出来看了看。我确实很惊异,这是一个高中生的论文!当时,佳俐是高中三年级,她已经修了六门功课,其中四门是 AP 课。AP 课是有一定难度的课,相当于大学低年级水平的课程。学这类课的学生们,除了必须课堂上认真听讲,还要花费相当多的时间做作业。再加上她还打球,参加其他俱乐部的活动,每天已经忙得不可开交,现在又加上这个新项目,她需要花很多时间先大量地阅读有关书籍和资料,然后才能着手去写。除了英语课本身的大量阅读和写作外,她还额外地读了十五本与写论文有关的书和几十篇文章,找有关人士面谈。那一年,尤其是下半学期五月份,多门 AP考试接踵而来;而且,她还必须按时完成论文,参加答辩。每天的时间就是那么多,你可以想象她该有多忙!她每天早晨六点起床,通常都要到晚上十一二点睡觉,有时会更晚。那几个月,看到她每天忙碌和疲惫的样子,我真是看在眼里,痛在心里,却又束手无策,只能是保证她每天回到家有可口的饭吃;有时帮她到图书馆去借书还书。老师也建议她注意休息,担心这种超负荷的压力和工作量,怕佳俐承受不了。但是,佳俐就是佳俐,她从未抱怨过一句。这是她自己主动要做的事,无论如何,她是会尽最大的努力去完成!当她终于把一百多页的论文,按时交给指导老师后,她才心安理得地美美地睡了一大觉!

记得那天她参加论文答辩回来,非常兴奋地告诉我,当时四位教社会科学的老师和负责该学科的教研室主任参加了。她谈完自己的论文以后,老师们都

问了很多有关移民的文化、教育、就业、种族歧视、对美国社会的适应性、以及有
可能的解决办法等等问题，时间长达两个半小时。其中有一个很尖锐的问题：
"你怎么看美国的种族歧视的问题？你认为有什么好方法可以解决吗？"教研主
任还问了她最后一个问题："你认为，你这种写论文的方式可以在学校推广吗？"
佳俐说："从我自己的这一年的经历，我不建议其他同学再做类似的事，尤其是
在高中三年级！因为，写这种论文，除了要有老师单独指导，学生本身要用大量
时间搜集资料、阅读书籍和做笔记，同时，要花费很多时间去写论文。在高三阶
段，我们已经有较多的必修课课程，也有多种考试必须参加，还有其他的社会和
课外活动，我们没有多少业余时间再做研究。另外，我也觉得，要写这种论文，
学生本人需要有比较强的自学和研究能力。还有，学生自己一定是要从内心里

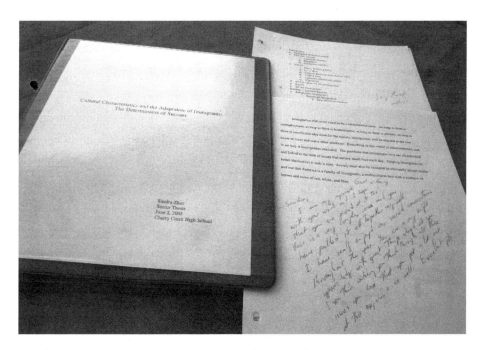

佳俐高中三年级时，在老师的指导下，大胆地尝试和探索，完成了一个有关移民问题的
论文。

真正地想做这件事,否则,压力很大,很难坚持下来。"老师们听完佳俐的话,都点头和鼓掌表示赞同她的看法。老师们对她说:"读了你的论文,我们非常为你自豪！我们也非常高兴,这是我们学校的一个高三学生写的！"最后,老师们都站起来了,热烈地鼓掌,通过了她的论文答辩！她的指导老师在论文结束的那页上写到:"你的论文给我留下非常深刻的印象。这是一系列非常复杂的问题,但是你把它们很好地组合在一起……你做了非常杰出的工作！"

事后,她的指导老师告诉她:"佳俐,你知道吗,开学时,教研组的老师们在讨论你想写这方面的论文时,大家就觉得,对一个本来学习就非常紧张的高三学生来说,是一个挑战性非常强,又必须花费很多时间的项目,压力会很大。我了解你的想法,也知道你是真的很想做这种尝试,所以,老师们还是决定让你去尝试……"正是学校的支持和老师的帮助,佳俐才有了这么一次挑战自己极限的实践机会,尽管全过程是那样辛苦！

也许,这就是美国学校的特点,能给学生们可以尽情地发挥自己潜能的空间。

舞会的"烦恼"

美国高中生的学习和生活是丰富多彩的。所谓"丰富多彩"是指除了学习和参与各种俱乐部的活动外，还有一年两次的全校舞会和毕业前的盛装舞会。你设想一下，平时一个个穿着 T 恤、短裤和球鞋的小伙子们，转眼间变成一个个西装革履，戴着色彩各异的领带和配上光亮皮鞋的帅哥；而平日的"灰姑娘"，则一个个穿上鲜艳夺目的小礼服、高跟鞋，梳着不同的发型，俨然都变成了"小公主"，你怎能不眼前一亮：多么俏丽的少男少女！在平时，你是看不到高中生们这种穿戴打扮的，只能是在一年两次的学校舞会和毕业舞会上，才有这种大饱眼福的机会。

不过，作为家长，通常都是在他们的舞会前，或送孩子和给孩子们拍照时，可以见到这些和平日穿戴打扮完全不一样的俊男俏女们。我们的孩子因为父亲工作忙，通常这些活动就由我全权代劳。这倒好，每次我去拍照，都能看到他们的舞伴，同时也能感受到这些年轻的姑娘和小伙子们的欢声笑语和充满青春的活力。当然啦，这种舞会，由于多种原因，并不是所有的学生都参加，也不是所有的家长都让孩子去参加。但是，对于我来说，只要他们自己愿意去，我就全力支持，从未阻拦过他们，无论是亮靓、佳俐，还是汉青。你也许会问："你就不担心这些年轻的男女孩子们在一起，会有什么越轨的行为吗？"开始时，我当然会有这种忧虑。记得亮靓第一次告诉我她要去参加舞会，那也是我第一次听说美国高中还有舞会，我就盘问了她许多问题，如"你和谁去？什么时间回来？穿什么衣服？在谁家留宿？……"后来，当我了解到高中舞会的情况后，也就放心地让他们去参加了。

这是亮靓(左页上图)、佳俐(右页大图)、汉青(左页下图)去参加毕业舞会时照片。

原来每年的秋季开学后不久，学校举办的舞会是叫"Home Coming"。这种舞会，是由男同学邀请女同学去跳舞。那么，为了给女同学一个平等的机会，在寒假后的新学期，学校的舞会称为"Snow Ball"，这便是由女同学邀请男同学参加的舞会。这两种舞会，从新生到毕业班的学生，都可以自由参加。但是，一年一度的毕业生舞会，通常是由毕业班的男生主动邀请女舞伴，这些女生多数也是毕业班的，个别的也可能是低年级或外校的女生。

舞会的程序通常是，自由结为小组的舞伴们先到一个同学的家里集合，由各自的家长去给他们拍照。这样，孩子们的父母一方面可以看看自己孩子的舞伴和他们的同伴们，也可了解一下孩子们在舞会结束后留宿的家庭情况。然后，家长们会自动离去，孩子们则去餐馆吃饭。吃完饭后，他们就回到学校礼堂跳舞。通常舞会是到夜里一点或两点结束。多数情况下，他们回到留宿的同学家里过夜，也有的是各自回到自己的家。不过，你也别太担心，这些男女同学在一起玩还是有规矩的，因为留宿家里的孩子的父母是会负责任的。另外，正如我们常说"物以类聚，人以群分"，孩子们也是一样。你仔细观察一下，你孩子的朋友基本上是与他的兴趣爱好差不多的，而且，好孩子总是多数。这种舞会基本上都是在星期六的晚上举行，这样，疯玩了一个晚上的孩子们通常在星期日上午，在留宿的同学家里吃完早中饭，再由父母接回家或自己开车回家。因为这种在学校里举行的舞会是在学校的礼堂进行。学校里有老师、家长和保安人员在舞场周围维持秩序和保护学生们的安全；另外，孩子们要留宿家庭的父母，通常会主动地在舞会前，与该小组其他孩子的父母们取得联系，并且会把该小组的孩子们家庭的电话号码、住址和时间安排，打印出来交给每个家庭。你说，同学们的家长都安排得这么周到，我还用再担心吗？我就放手让他们三人在紧张的学习后，和其他同学们一起欢歌起舞！

正是这样，从亮靓第一次开始参加舞会后，到佳俐，到汉青，只要他们愿意去，我们都给他们"开绿灯"。非但如此，我还要陪两位"大小姐"去商店里买舞会上穿的小礼服,和配套的高跟鞋,以及戴在舞伴衣服上的花。当然,这种看似只是蹦蹦跳跳的舞会,实际上也蕴含着让孩子们学习和学会处理同学之间的关系。你别以为我夸张,当你看完刚上高中一年级的汉青碰到的选择舞伴的事,你大概就会赞同我的看法了。

刚上高中一年级的汉青,除了上课就是踢足球、练球和参加比赛,又加之其他课外活动,让他忙得有点晕头转向。对于开学不久学校的"Home Coming"的舞会,他没兴趣参加。可是,过了两个多月后,11月的一天,他回来告诉我:"有个女生请我参加'Snow Ball'舞会。"我笑了,对他说:"好啊!别人主动请你,那你就去吧!"他说:"哎呀,你不知道……"我看他欲言又止,就问他:"怎么了?这女孩是谁?她叫什么名字?"他告诉我她的姓名后,接着说:"其实,我跟她一点不熟,她除了英语课和我在同一个班里,其他的课都不和我在一起上。我不想和她去舞会。"我听他说"不想去",我倒要问个究竟了,"你为什么不想去?"他支支吾吾了半天,但是我听明白了,他心里不太喜欢这个女孩,不想和她去跳舞。我当时就问他:"你对她说你不想去了吗?"他说:"我没有,时间还早着呢,'Snow Ball'的舞会是在明年1月份。"我说:"那就好,你要想一想,不要轻易地回绝那个女孩。"我接着对他说:"汉青,你知道吗,作为一个女孩子,她能主动地请你和她一起参加舞会,这对她来说,是需要有一定勇气的,也是经过一定时间考虑的,不是随口就说的事,尤其你跟她不是很熟悉。无论如何,你去也好,不去也好,既然人家请了你,你要慎重考虑!"汉青说:"不就是跳舞嘛,哪有你说的那么复杂?"我说:"汉青,你可别小看这事,你要知道,对你来讲,去和不去没有什么关系。但是,人家请了你,你拒绝,对那个女孩来说,是不是会刺伤她的自尊心?会不会让她很难堪?你想过没有?……反正这个舞会是在来年1月份,你还有时间,好好考虑……"汉青显然根本就没有想到这些,在他看来就是一个普通的舞会嘛,去不去是个人自由,哪用想那么多事。我只得耐着性子给他解释:"这个女生这么早就向你发出邀请,说明了她的诚心。另外,这是她在高中的第一次请男同学和她一起参加舞会,你想想,如果遭到拒绝,对她来讲会是怎样的感受? 汉青呵,你还年轻,不了解女孩子心思。你再想想妈妈的话,千万不要草率地决定,要学会站在对方的角度考虑问题……"听我这样一说,汉青没再说话,我知道他心里是很矛盾的!

就这样拖了一段时间,到了 12 月份。有一天晚饭时,佳俐问起汉青舞会的事,汉青告诉她:"我还没决定。"并且又说:"还有几个别的女生请我,我都没答应,我得想想……"佳俐乐了,说:"看来那些女同学还挺喜欢你的嘛?"汉青似乎得意地说:"可不是吗! 但也麻烦,我只能答应一个人,还不知道是谁?"佳俐一本正经地说:"依我看,你应当答应最先请你的人,你说呢?"汉青反问她:"为什么呢?"佳俐说:"当然应当是第一个请你的人,什么事都有先来后到,这样做才算公平。"汉青也不相让:"那如果我不喜欢最先请我的人呢?""那你也得答应她!"佳俐坚持自己的观点。汉青回应佳俐,说:"你这样说,是不是有点不合情理了?"佳俐不退让,反倒振振有词地说:"这有什么不合情理? 你又不是找对象,非要你喜欢的,不就是一场舞会嘛! 就一个晚上几个小时,你干嘛那么在乎喜不喜欢? 人家请你参加舞会,还要请你吃饭,还要给你买门票,还有车费,花的钱少吗? 你什么都不用花费,何乐而不为呢? 再说,到了舞会大厅,你也会看到你的许多其他同学……"听着他们两人的对话,我想,佳俐是高中四年级的毕业班学生,在这方面有些经验,知道舞会是怎么一回事。而汉青是第一次参加这种活动,还有点糊涂。另外,让他和自己不太喜欢的人去跳舞,从心理上讲也是有点别扭。但此事怎样处理好呢? 我也觉得很棘手。尤其是当我知道邻居的儿子汤姆和汉青是同学,邀请汤姆的女孩和请汉青的女孩也是好朋友。这位邻居告诉我:"这个美国女孩在学习中文,对中国文化很感兴趣,也很喜欢汉青的为人,……她的父母都知道汉青,他们家也住在我们这个区……"邻居的这些话,让我知道这个女孩确实是喜欢汉青才早早地邀请他。作为一个女性,我深知绝不能因此事伤害这个女孩的自尊心,但我又不能勉强汉青做决定,我也是处于矛盾中,而且还不能流露……

快到圣诞节了,也就是快放假了,这时候,我问汉青给那女生回话没有。他说:"还没有。"我就很认真地对他说:"汉青,妈妈知道你不喜欢这女生,你也许喜欢别的女生,愿意和她们参加舞会。但是,这个女孩是最先邀请你的,你应当好好考虑。妈妈也是女性,我了解女孩子的心理比你多,汤姆的妈妈已经告诉我这个女孩和她家里的情况,他们确实喜欢你,才请你的!再说,佳俐说的没错,就一个晚上几个小时,你的那些朋友们可能都会去,你就别再犹豫了。最好在放假前,给人家一个明确的答复。这样假期里,她也好有点准备,好吗?"汉青说:"我真没想到,你们都把这件是事看得那么认真……让我再想想吧。"听得出来,他心里有点烦,我想,我已经把道理说明白了,但也不能强迫他,该怎样办就由他去决定吧!直到放假那天,他回来告诉我,他答应了第一个邀请他的女孩子去舞会。我高兴地说:"好小子,你这样做就对了!"

后来,我在给他们一伙参加舞会的同学们照相时,见到了那个姑娘和她的父母亲,也礼貌地聊了几句。其实,那是一个挺可爱秀丽的美国姑娘。第二天,汉青回家后,笑着跟我说:"昨晚在舞会上,我看到了很多其他同学,我也和别的同学一起跳舞了,大家玩得都很高兴……"我说:"你开心,妈妈就高兴了。"这总算有个比较好的结局,也让汉青学到了在实际生活中如何处理同学们之间的关系。

在以后的三年高中岁月,学校的每次舞会,汉青都参加了。他请别人,别人请他,但类似这种"舞伴"的事没在发生。如今,当我看到三个孩子一次次舞会的照片,也唤起我对他们那"恰同学少年,风华正茂"的美好回忆。高中四年,他们正是在参加各种活动和玩乐中增长了见识,学会尊重别人,学会处理同学间的关系,一步步地成长和成熟起来。

少有的"物质鼓励"

孩子们的成长就像那青青树苗,在阳光灿烂的日子里,顺利欢快地节节拔高。可是,大自然里总有风霜雨雪、狂风冰雹,他们能够顶住这瞬息万变的自然环境,依然茁壮地成长吗? 当我们的家庭情况发生了一些变化后,如何面对那无形的压力,对孩子,对我们都是一个新的课题,新的考验。

那是 2006 年的秋天,亮靓在西海岸找到了工作,佳俐离开家到东海岸上大学,汉青开始进入高中二年级。亮靓和佳俐的离开,家里从五个人一下子变成了三个人,偌大的房子,只剩下汉青与我们,突然让人感到太清静了!

那时间,汉青每天按时上学,放学后,参加足球训练班和比赛,回到家就坐到书房里的电脑旁,还头戴耳机,说是在"做作业"。其实,有时我明知他在玩游戏,假装没看见。我心想,只要他把作业做完了,玩就玩会儿吧。他都这么大了,我怎么好总是盯着他呢? 当时,我们都是处于"心理调整"阶段,要适应家庭的新变化,想到他很快也要离开家,心里总是有点依依不舍,不想管他太多了。汉青的一个好朋友,与他情况类似,也是姐姐到外地上大学,家里只剩下他一人,这样除了星期六,汉青要去参加辩论队的比赛,星期日和假日,只要有时间,他们俩总是在一起玩。有时就在他们家或我们家过夜。因为我们双方家长都了解对方的基本情况,也都不愿让孩子们孤独,所以他们俩倒像兄弟一样玩得很投缘,来往密切。

一转眼,过了期中考试。当我收到学校寄来的成绩单时,看到汉青的六门课,四门都是 B,一门是 B⁻,只有一门辩论课是 A,我都傻眼了! 他高中一年级的成绩都是A,这才开学不久,怎么会变化这么大? 等他放学回来,看到成绩单后,他没说话,我倒是忍不住了,问他是怎么回事? 他说:"没什么啊!"我说:"你的成绩怎么都是B?"他说:"B有什么关系? B学生也是好学生啊! 干嘛非得都是A?"他的这番论调,我可是第一次听说,我心里很纳闷,不知何故? 我说:"汉青,妈妈知道B学生也是好学生,只是每个人的情况不一样,你是一个能够学得更好的学生。妈妈了解你,只要你想学好,你一定可以学得非常好!"汉青不以为然地说:"B有什么关系?! 我知道你们就是看着A,就是看着常春藤大学。是不是亮靓和佳俐都上了常春藤大学,我也一定要上常春藤大学? 你看看,有多少大公司的CEO是常春藤大学毕业的? 他们很多人都是一般的大学毕业的。"这时候,我心里突然意识到了问题的症结,我说:"汉青,这里有两个观点,妈妈要和你说清楚:一个是A和B的问题。我一直认为每个孩子的本身特点不一样,不能强求人人都是A学生,也不能要求每门课都必须是A。就以你姐姐佳俐来说,她是一个很聪明好学的孩子,她对自己要求很严,学习很认真,希望自己成绩都能是A。但是,她在高三学AP化学课的时候,我看到她下了很多工夫,也非常认真地做作业,可是,尽管她很努力,很用功,她的期末化学成绩还是B。当我看到她的成绩单时,我没有问她为什么,因为我知道她努力了,她的这个B比其他课程的A,得到的还不容易! 反过来,明明有能力可以成为A的学生,不认真对待学习,这就要问问为什么了? 妈妈看着你从小长大,我知道你的能力,这就是我问你怎么都是B的原因! 你想想看,妈妈的话有没有道理?"看到汉青没说话,我又继续说:"你说得没错,很多美国大公司的老总们都是普通大学毕业的,他们干得很成功,我和你爸爸也认识几个这样的CEO。汉青,妈妈现在要明确地告诉你,我不是像你想象的那样,一定要你上常春藤大学! 你可以上州立大学,或者社区大学,你要上什么大学,这是你自己的选择,妈妈绝不会强迫你的! 你想想看,从亮靓和佳俐申请大学,选择大学,妈妈干涉过么? 没有! 为什么? 因为我非常清楚,上哪所大学是你们自己的事! 是你们去上大学,不是妈妈去上大学!妈妈会给你们充分的自由去选择大学,这一点,对你,对亮靓,对佳俐都是一样的!"听我把话说得这么明白,汉青没再和我辩论了。但是,我心里清楚,这个"A"和"B"以及上什么大学之争,只是表面现象,真正的原因是两个姐姐都进了一流大学,他心里有压力;还有,佳俐和汉青在同一所高中,现在教汉青课的老师们多数都曾经教过佳俐,一看,便知道他是佳俐的弟弟,这无形中在他的心理和精神上又增加了一种的压力;另外,我们周围的朋友和熟人,见面时也会问起亮靓和佳俐的情况,他耳闻目睹,怎能不感到一种无形的压力呢?我心里清楚这些,有的时候我尽量避免在他面前,与别人谈论亮靓和佳俐的事。但没想到,他还是如此敏感!今天他终于全发泄出来,其实倒是件好事,这样,我正好借机让他清楚我对他的学习和今后上大学的态度。后来,他爸爸也很明确地对他说:"汉青,今后你上什么大学,你自己做主。即使你要上社区大学,我们也不会阻拦你……"

尽管如此,汉青的问题并没有解决。因为关键是如何能够让他在这种压力下能够正确地认识自己,相信自己,看到自己的特点,摆脱这种由互相攀比和周围环境造成的心理压力。我当时最担心的是,如果他承受不了这种压力,完全失去自尊自信,而自暴自弃,那就会毁了他!那些日子里,我常常是夜不能寐,也常常和他爸爸谈论,怎样才能让他走出心理阴影?怎样让他能够看到自己的特点和优点,在这种压力下站起来?我知道,我们绝不能再给他任何压力,也避免和他直接谈学习方面的事,只能试着从他喜欢的活动中,让他看到自己的优点和特点。

那些日子,我每次送他踢球一定会留下看球。有几次在球场上,大家激烈地奔跑争球,他看准机会,快速地从侧面或远处巧妙地一脚把球踢进球门,全场轰动,响起热烈的掌声和呼叫声。同学们,一旁的家长们都夸他"踢得好!"我也在他踢完球,开车回家的路上,趁机好好地夸奖和鼓励他:"汉青,刚才你的那个侧面球,踢得太棒了!我看得出你很会动脑子,反应快,踢得准,一下子就踢进去了! 小子啊,你真的是很聪明,你知道吗?"他虽然不语,但他的笑容告诉了我,他听进去了。

汉青在高一就加入了学校的辩论队。但一年级学生还没有资格参加比赛,到二年级就可以参加比赛了。记得他第一次去参加比赛是蛮紧张的。因为他选择的辩论类型无法提前准备。只是在辩论开始的前三十分钟,主持人会告诉你辩论题目,三十分钟思考后,就得上台演讲。那天一早,送他去参加比赛,我心里一直都在惦着他,我真希望他能得到一个名次,哪怕是最后一名也好,因为那样会增加他对自己信心,尤其是第一次比赛。我一直心神不定,盼到天黑。快八点钟的时候,他回到家。一进门,他就喊:"我赢了! 我得了第一名!"说着,他把奖状递给了我。"真的?!"我当时都不敢相信自己的耳朵和眼睛! 我兴奋地说:"太好了! 太好了! 小子啊,太好了! ⋯⋯"我得知他还没吃东西,赶紧给他热饭菜。他一边吃,一边高兴地谈着他辩论时的情况。他还告诉我,头天晚上没睡好觉,心里老在想比赛的事⋯⋯由此我想到,实际上,他上进心也很强! 我就趁机鼓励他:"汉青,你是个很有潜力的孩子。你只要想把事做好,你努力,你就能干得非常好! 这次比赛就是证明,对不对? 你知道,妈妈这一整天都在想你比赛的事,也在心里盼你能获得一个名次,哪怕是最后一名。我还真是没想到,你第一次参加比赛,就得了第一名! 小子啊,好好努力! ⋯⋯"那些日子,虽然他的学习还不见有什么起色,但这一件件课外活动的小成功,让他逐步看到了自己的特长,在一点点找回自信。

作为父母,我们嘴上虽不和他谈论学习的事,但心里是不可能不想他的学习情况。因为我们了解他的确是接受能力、理解能力、反应和记忆力都很强,只要他摆脱了心理压力,是完全可以学得很好。现在他是卡在一个关口,如果能够让他走出来,在这么好的学习环境里,又有这么多好老师,他能够学到一些今后真正有用的知识。我们心里着急,但也没有好招,当时我只能是常常用"顺其自然"来安慰自己。但存在的问题还是需要解决,可哪儿是突破口呢?

汉青准备去参加州里的辩论比赛。

　　转眼间,感恩节快到了,也就是快到汉青 16 岁生日! 16 岁生日,对美国孩子是一个特别的生日,这是每个孩子盼望已久的一个特殊的生日——因为,16岁后,他们可以合法地拿到驾驶执照,可以自己开车了! 汉青当然也不例外,他的手早就痒痒了! 佳俐上大学后,她开的那辆车就基本上在车库睡大觉。等她感恩节回来时开车,发现车子的引擎出了毛病。当时我们考虑,与其花很多钱修旧车,不如重新买部车更合适。买车,对汉青来讲太刺激了! 因为等他有了驾照后,这车主要是他开,姐姐们只是节假日里回到家偶尔开开。于是,他有时间就自己在网上看车,和好朋友谈车,爸爸回到家,他也是把找到的各种有关车的情况,向他爸爸汇报,表现出一种从未有过的热情。一天,他爸爸在听汉青滔滔不绝地讲述车型、价钱、质量、颜色、生产年代等等时，对他说："汉青，你这么喜欢车，爸爸跟你谈一个交易。就是从现在起，你要好好学习，按时完成作业，提高学习成绩，这样到学期结束时，爸爸就把那辆有毛病的车卖了，换辆好点的车给你开，怎么样？"汉青听了，毫不犹豫地一口答应："没问题！你说话算话？"他爸爸说："那当然啦！爸爸说话，一言为定！"我站在一边，看到汉青那兴奋的样子，听到他们的对话，心想，我先生今天是吃了什么药，怎么和儿子做这个交易？我们从来没有用过这种"物质刺激"的方式来教育孩子，这样做，好吗？管用吗？有什么副作用吗？既然他们父子已谈好，我还能说什么？但我心里是矛盾的。晚上睡觉时，我问先生："你今天是怎么了？你怎么会想起来，用买车这种方法来做交易，来鼓励汉青学习？这样做对他好吗？"他说："看吧，我也不知道。这段时间，我看他那么喜欢车，突然想到用这个方法来刺激他，调动他的积极性，大概会有作用。再说，反正这车坏了，怎么也得买辆车给他们开。"我当时也没什么好说的，我只能希望"这个实验能够成功"……

没想到这一招还真灵！也就是从那天起，汉青每天回到家，玩电脑游戏的时间明显少了，有时做作业做到很晚才睡觉，有时放学后他主动找老师帮助解决疑难问题，有时我听到他在电话上和同学们讨论作业题，并且他还主动地告诉我平时的测验成绩，当然他是"报喜不报忧"的，得"A"时就会告诉我。每逢这种时候，我会趁机鼓励他："汉青，我知道，只要你努力，你想得A，你就能得A！你的老师曾经说过的话没错，'你应当是个A学生！'"除了西班牙语，他其他功课的成绩都有明显好转。他似乎又恢复到以前那个开朗、幽默、无忧无虑的大男孩了！看到他一点点地在找回自己，看到他一步步地在改变，看到他正在逐步地挣脱曾经压在心头的压力，我的心情也随之愉快起来。他爸爸也对自己的"实验"充满信心。除了学习，他参加的辩论比赛，几乎每次都能得到名次，虽然不都是第一名，但总是榜上有名，他为此很自豪。他并且告诉我们暑假里，他要争取到大学参加辩论培训班，为以后参加州里的辩论比赛做准备。

　　总之,汉青的积极性是被调动起来了。逐步提高的成绩和辩论、足球及其他活动,让他渐渐地看到了自己与两个姐姐的不同之处,看到了他自己的特点,从而增强了自信心。到了学期结束时,除了西班牙语,他的其他各科考试成绩又回到了"A"。西班牙语,因为最终成绩是 78 分,成了难忘的"C"。记得那天,他放学回到家,先从电脑上看到这个成绩时,心里很难过,不顾外面下着大雨,专门跑到学校里去,找到老师,和老师商谈希望能够通过其他方式弥补,把成绩拉到"B",但老师未同意。我看到他回到家,非常失望和难过的样子,对他说:"汉青,你别考虑太多了。这段时间你学习很努力,爸爸妈妈都看到了,我们都为你的进步高兴!"我知道他一直对学语言不感兴趣,也不愿花时间记单词,却又阴差阳错地进到西班牙语的快班,怎能得到好成绩呢? 当然啦,他可能也是担心爸爸会不会因此不给他买车。于是我对他说:"汉青,爸爸会全面地考虑的,不会因为你这一个'C'就不买车的,对吗? 你知道,爸爸为什么要和你打赌吗? 他是要用这种'激将法',让你找回你自己,找回自信! 那样你就不会被压力压扁了! 汉青啊,妈妈倒是希望你注重学习知识,注重分析和解决问题的能力,而不是仅仅看中考试成绩的 A、B、C。你才 16 岁,今后的路还很漫长。现在对你来说,最重要的是要对自己有信心,要坚强,要学会能够承受压力……"当他爸爸知道这情况后,对汉青说:"当学生嘛,有 A 有 C 不奇怪。你今后的路还很长,但爸爸相信你会做得更好! 爸爸说话算话,找时间我们去看车……"后来,他们父子俩一起去车行看车,最后,他爸爸给汉青买了一辆他喜欢的"二手车"。

　　发生在汉青身上的这段经历,至今我也难以确定这种处理方法的是否恰当。但是,那几个月,他的状况实在是让我们揪心! 也许,适当的物质奖励在特殊时期会有作用。总之,令我们感到欣慰的是,他最终还从那种精神压力下站起来了! 他明白了他们姐弟三人,个性不一样,各人的特点也不一样,各有所长,各有所短,要学会走自己的路! 从那以后的高中岁月,不但他的学习成绩一直保持在"A"的水平上,更让他引为自豪的是,他所考的六门 AP 科目,全部都是满分! 他参加州里的辩论比赛,经过一轮轮比赛筛选,他赢了第一名,并获得了去参加全国高中生辩论比赛的资格。当他到了十二年级,经过评选,他还担任了辩论队的队长。他喜欢的足球不但一直伴随着他,也让他发挥了领导能力。虽然在他申请大学的高中四年的成绩单上,除了"A",还有一个十分醒目的成绩"C",然而,这个真实地记录了他高中四年的成长过程的成绩,并没有影响他进入美国的一流大学。唯一与两个姐姐不同的是,尽管他也被"常春藤大学"录取了,但是他没有去! 他选择了另一所美国的好大学——杜克大学去读书。

结交男女朋友

　　大概所有孩子们的家长，当孩子们上中学、高中以后，都会和我一样面对一个无法回避的问题——允许孩子们交男女朋友吗？如果你的孩子们背着你已经和他们的异性朋友交往得热火朝天，当你终于知道了该怎么办？管还是不管？怎么管？这些看似日常的小事，处理起来还挺棘手的！我们的三个孩子，由于我们本身的原因，采用了两种不同的处理方法，结果怎么样呢？对此，我没有完美的答案，也许你看了这三个孩子的故事，会有一些不同的想法吧。

　　亮靓上中学时，我们搬到了缅茵州的水村。那是一个陌生的地方，人生地不熟，我们大家都有一个适应新环境的过程。在我们去的 90 年代初期，水村那里几乎是清一色的白种人，当地的中学生基本上都是从小就在一起长大。亮靓是在加州大学的研究生大院里成长的，周围全是各国留学生，环境非常国际化。她这个"外来户"一下子插到这些中学生里面，他们除了有种好奇感，同时存在怎样"接纳外人"的问题。因此，对亮靓来说，她也有一个适应全新环境的过程，自然就没工夫交男朋友了。

　　等到亮靓上高中了，她已经逐步适应当地的环境，同学们也逐步了解了她。这时候，我开始有点紧张了。亮靓相貌、身材姣好，在学校又挺活跃的，打球、演节目、拉小提琴、做义工、组织辩论队、参加学校的科学竞赛、学校的舞会，在一大群白人学生中间，她这样一个中国孩子当然很引人注目。我便开始提醒她："亮靓啊，你上高中了，要集中精力好好学习，现在不要交男朋友。等以后你上大学了，年龄大些，成熟些，再交男朋友。"第一学年过去了，还好，没事。暑假期间,她也像很多美国高中生一样,参加了"驾驶执照的培训班",去学习有关开车理论知识和注意事项,同时在教练的指导下,学习怎样在不同的路况下练习开车,每天几个小时,前前后后用了二十多天的时间。那段时间,她有时回来会告诉我培训班的情况,还专门提到认识了一个在我们隔壁小镇的一个男孩,并说这孩子怎么不错。开始我也没有在意这事,直到有那么一天,那男孩打电话找亮靓,约她看电影,亮靓告诉我后,我开始有些警觉。我不想让亮靓去,但又觉得那是暑假,电影又是在下午,有什么理由拒绝吗?一时没想出,我就对亮靓说:"好吧,妈妈送你到电影院,看完了,我再去接你。"我送亮靓时,远远地看到那个男孩,我当时对这样年龄的男女交往根本就是持反对的态度,所以在停车场停了车,让亮靓下车后,反转方向就回家了。这事过后,我很认真地跟亮靓谈话:"亮靓,你才十五岁半,很年轻,正是学习读书的黄金年代,应当好好地学习,学点真本事,长大才能有出息,才能在这个社会立住脚。比如你爸爸,他如果不是那么刻苦学习,他能拿到博士学位吗?他能在这里教书吗?根本就不可能啊!你看妈妈,为了你们,没有在美国上学,到现在也找不到好工作,只能做些低收入的工作,是不是?亮靓,你要从爸爸和妈妈的两种状况,看到你自己只有好好学习,才能有前途。你说是不是?"亮靓说:"我知道,我是这样做啊!我的学习成绩很好啊!"我说:"是的,你这学期成绩很好,但你知道,美国大学是要看你高中四年的成绩啊!"亮靓没有说话,我又说:"那个男孩子和你不在一个学校,你们在培训班认识,这么短的时间,你了解他吗?"亮靓说:"谈不上了解,只是觉得他很聪明。""如果是这样,依我看,那就作为一般同学关系相处,你说呢?"亮靓说:"本来就是这样嘛!只是你有点大惊小怪的。"我说:"是吗?我是担心你,我怕你交了男朋友,影响你的学习!妈妈还是那句话,等你上了大学再交男朋友……"看来亮靓还是听进了我的话,从这以后,虽然那个男孩又打过电话找亮靓,她却以其他理由推托,没再见面了。

开学以后,学校的功课和亮靓参与的各种活动让她忙得不可开交。尽管她在学校里依然那样活跃,男同学女同学相处都很不错,他们经常一起参加许多活动,一起到外州参加过多次科学比赛,但是,她没有在高中交男朋友。当亮靓高中快毕业的时候,有一次我和她聊天,谈到他们同学之间的关系时,亮靓的话引起了我的深思。在谈到亮靓的一位好朋友丽莎和她过去的男朋友时,亮靓说:"丽莎的妈妈从不反对她交男朋友,还鼓励她交男朋友。"我问:"是吗?为什么?""丽莎说,她妈妈觉得高中时交男朋友是一种经验,一种经历。如果有男女朋友是好事,不应当反对。"我说:"怪不得美国有许多中学生、高中生,没有结婚就怀孕呢。"亮靓说:"那只是部分人,我认识的朋友中,有的交了男朋友,有的有女朋友,还没有谁怀孕。"我说:"那也会影响学习啊!"亮靓反问我:"那丽莎的学习和其他方面,不都是很好吗?"我认识丽莎,她在各方面确实都很优秀,也进了一所很好的大学,但是我还是难以同意她的说法,我说:"她是一个特例。人的精力是有限的,怎么会不影响学习呢?再说,年轻时当学生,就应当以学为主。"亮靓说:"这些都是中国人的观点,他们美国人可不是这样看!……"我和亮靓的这段谈话在我心中泛起阵阵波澜,我觉得亮靓说的有一定道理,反思自己,不让亮靓在高中交男朋友,是不是有点太苛刻了?!那我该怎样处理才好呢……

　　后来,我认识了一位在美国学教育学的中国学者,当我和她谈起我的这个疑问时,她说:"是啊,你不让亮靓在高中交男朋友的情况,在我们中国人的家庭里太普遍了!你也别自责,这不是你一个人的问题,这是我们的一种文化。你看看,在你的周围,你认识的中国家庭的孩子,有几个孩子是在中学、在高中交了异性朋友?实在是少之又少!美国人呢,与我们相反,他们的孩子交了男朋友或女朋友,高兴得很,告诉亲戚,告诉朋友,告诉同事,引为自豪,更不会人为地控制孩子交男女朋友……我们的中国家长强调学习,总是担心孩子有了异性朋友,会影响学习,其实也不完全是这样。有的孩子交了朋友,互相促进,学习倒好了。还有人怕女孩子怀孕,其实啊,这些孩子懂得比我们还多,只要他们想避免,办法多得很!我是觉得,别把孩子管那么紧,把道理给孩子说明白,让他们自由发展。实际上,孩子们在中学时代,有点交男女朋友的经验和教训,也不是坏事。另外,你别错误地认为,一旦孩子们在高中交了男女朋友,今后就会变成夫妻,才不是那么简单的事呢? 时代不同了,孩子们的观念也在变……"这位学者的话,给了我新的启示,更让我思考。曾经,我总是担心孩子交朋友会影响学习,怕出事,为什么就没想到孩子们也是人,他们的感情为什么就要被压抑,不能让他们自由发展呢? 他们年轻,即使摔了跤,只要能站起来,又有什么不好? 因此,我决定改变自己过去的做法。

佳俐比亮靓小七岁,当她上高中时,在结交男朋友的这件事上,我便采取"顺其自然"和"不问不干涉",在一边"旁观"的方法。其实当我这样做,我自己心里反而轻松了,孩子也没压力。结果呢,佳俐初中三年,一年一个地方,根本谈不上这些事。高中四年,她的学业和参与的校内校外的活动又多,尽管她的男女同学人缘很好,大家常来常往,无论是学校的校长、辅导员、任课教师还是朋友们的家长,谈到佳俐,没有不喜欢和美言她的,可是佳俐自己呢,她直到高中毕业,她没有和哪位男生"来电",用她的话"我们每个人都忙,没时间!""大家都是好友!"……

记得汉青快上高中了,有一次,我和他谈到家里的事,他问我:"你们是不是要我一定要找个中国人做妻子?"当时我愣了一下,在这三个孩子中,他是第一个问我这个问题的。我反问他:"你觉得可能吗?"他想了想说:"当然有可能啊!"我说:"你的爸爸妈妈是从中国来的,你的祖父母和亲戚们也都在中国,虽然你是在美国出生长大的,但从心里说,我们希望你们找个中国人,因为双方文化相同,容易沟通。但是,我们不会勉强你们,更不会规定非得哪几种人不可。今后,你选择什么样的人,那是你的自由,也看你的缘分! 你放心,爸爸妈妈不会干涉你的,只是希望你能找到一个好姑娘!"他笑了,说:"我知道有的同学家里的规定很多,这个那个的……"我说:"我也知道中国人的家规很多,你妈妈没那么多清规戒律。我觉得,你们是生活在一个多元化的国家,你看你的周围,你的同学们,不同的肤色,不同的人种都有,白人、黑人、犹太人、印度人、墨西哥人、欧洲人、韩国人、中国人、泰国人,到处可见……你现在还小,等你长大了,工作了,也有可能会世界各地跑,谁知道你会碰到什么样可心的人呢?妈妈只是希望你今后能生活得幸福,其他的,我不会管,不想管,也管不了!你说,妈妈说得对吗?"汉青嘿嘿地笑了……

实际上,我早看出,汉青的同学们中,有好几个女孩是挺喜欢他的,其中有中国女孩,也有其他国家的女孩。虽然,汉青是个男孩子,我们有时和他开玩笑,说他"有魅力"——这三个字,是他的同学在学校年刊里写给他的,可是,我们谁也没把那些当真。他刚上高中一年级时,踢球、学习也够他忙的。但是,从学校的舞会的事后,我观察到确实有些美国女孩子喜欢他,并且是主动找他。汉青的辩论队,每年会有一次在学校的示范演讲,我去参加了。我看到他上台时,从容淡定,举止儒雅;讲解的内容丰富,条理清楚,也很风趣。他讲完后,赢得了长时间掌声。也就在那时,我才意外地发现,他的口头表达能力不错,而且他的音色是那么浑厚圆润。我看到周围很多同学和家长听得兴趣盎然,意识到了这小子在同学中的魅力。

到了高中二年级下学期,有个女孩对他非常好,而那时,他的心理压力和学习一度出现过"状况"。当那女孩渐渐地进入我的视线后,此时的我心里很矛盾。因为有了亮靓和佳俐的教训和经验后,对这事我不想管,但又觉得汉青的学习状况刚刚开始有起色,本来他已够忙的了,又加进这女孩,会不会又有什么影响呢?但我又一想,还是别管为好,当个"旁观者",让他们自然发展吧!于是,在汉青没和我提起这女孩时,我仍然采取"冷眼旁观"的态度,装作"什么都不知道",在一边"看戏",从不主动询问情况。后来到了暑假期间,有一天,汉青主动地告诉我这个女孩和她的家里情况,我只是说:"你还年轻,现在的主要任务是学习,交个朋友没有什么不可以,但是你要知道什么事情是主要的,什么是次要的,你的主要精力应当放在哪儿。你开学后就要上高三了,从亮靓和佳俐的经历来看，高三这一学年，应当是高中四年里最忙的一年，妈妈相信你明白该怎样处理这些事。"汉青说："我知道你的意思，我会处理好的，你就别担心了！"我说："那好啊！儿子，你大了，妈妈也该轻松一下了。只要你对自己的行为负责，对自己的前途负责，妈妈就省心了！"汉青信心十足地说："放心吧，我会的！"那以后，有时那女孩来找汉青，碰到我们在家，大家礼貌地打个招呼；汉青要是去女孩家，他会告诉我们，我们只是叮嘱他早点回来。多数情况下，汉青有什么事，要和那女孩一起出去办，他都会主动地告诉我，去什么地方，什么时间回来，我们也不多问他。也可能正是我们信任和宽容，让他们正常交往，我们双方都没有把"交女朋友的事"当做一种负担，他的心里也会比较轻松。让我感到欣慰的是，这种正常的男女同学之间的交往，并没有影响他的学习和其他方面的发展。汉青在高中后两个学期，不但学习成绩都保持在 A 水平，其他各方面也都有所进步，毕业时还获得了学校的多项奖励。

　　这些，就是我们的三个孩子，高中时的一段交男女朋友的经历。后来他们都先后离开家，到东西海岸工作和上大学。他们大了，离开家了，自己的事自己做主，他们的那些"浪漫的事"，当我该知道的时候，他们会主动地来告诉我的……

富翁朋友

　　很多人都会猜想,那些美国的有钱人,他们的生活一定是非常奢侈豪华:住大房子、开高档车、穿名牌衣服、戴贵重首饰、打高尔夫球、旅游度假……这些年,我们在美国的不同地方住过,看到过穷人,也见到过富人,还有一些美国朋友属于富翁一族。我们的朋友比尔就是属于一个富贵家庭的后裔。我们搬到丹佛后,于 2003 年认识了比尔,当时他虽然已是 83 岁了,可是他那洪亮的声音、敏捷的思路、幽默的话语、红润的气色、挺直的身板、普通的衣着,让人很难相信这是一位年逾八旬的富翁。这些年和比尔的交往,给我们给孩子们都留下了不可磨灭的印象。

　　比尔的祖父是在 1871 年从宾州迁到科罗拉多州的科泉市,协助组建科泉市的事务。1874 年,他的祖父和朋友们捐款成立了科罗拉多州学院(Colorado College),一座至今在美国声誉颇佳的位于落基山下的私立文理学院。他的祖父年轻时,曾在铁路部门管理财务,后来成为铁路总管,之后又成立了自己的银行。他的祖母是位有名的作家。这样一个家庭,可谓当时的名门望族。比尔的父亲从哈佛大学毕业后,又进了法学院,后来成了科罗拉多州的律师和州最高法院的大法官;他的母亲则在家相夫教子。至今在丹佛城市的图书馆里,仍然存有他们家族的历史资料和图片。比尔自幼就是在这样的家庭环境里长大的。

　　和许多富家子弟一样,比尔父亲是哈佛大学的毕业生,也是学校的捐款资助者。比尔从私立高中毕业后,就进了哈佛大学。1942 年,他大学毕业时正值第二次世界大战,他就直接参了军,先到了夏威夷,后去了远东战区,期间也去了南韩和菲律宾等亚洲国家。直到1945年底,比尔返回丹佛,和一位门当户对的姑娘结为夫妻。比尔本人一直在银行里工作,并且活跃于丹佛社区。

从结婚到太太于2005年过世,比尔夫妇在一起共同度过了59个春秋,养育了四个儿子。我们认识比尔时,他的太太已患上了老年痴呆症,并瘫痪在床,我们只是从他家的照片上看到她清秀的面容和高雅的风姿。那时虽然他家里请了个女工帮忙,但很多时候都是比尔亲自照顾太太。

我还记得那是2004年的春节,我们请比尔到家里来一起欢度中国新年,吃年夜饭。快到九点钟时,比尔悄悄地告诉我,他要回家了,因为每天晚上九点钟,他要帮太太擦洗身体和喂药。他还说很喜欢吃我们做的饺子,可不可以带几个回去,让太太也尝尝? 老人对自己病卧在床的妻子的关爱,让我很感动,毫无疑问,我自然会满足他的心愿了。

那是2006年的春天,佳俐和汉青的学校放春假,我带着他俩去看望比尔老人。比尔的房子坐落在丹佛市区附近。从那并不宽阔的街道,一株株枝叶繁茂的高大树木,一栋栋设计风格独特的房屋,都展现出这是一片颇有年代的住宅区。比尔的家就是其中的一栋红色砖瓦的维多利亚式的大房子,是1950年他们结婚后买的,至今,已有60多年了。

室内高大而宽敞,上下三层,花墙纸、小厨房、大客厅、大餐厅、各式玻璃窗,都是那个时代的住宅典型装饰。那松软得让人坐下去就会往下陷的花布沙发告知来访者它们的年代已久。电视机还是那19寸的老电视。但是,从墙上的画和室内的摆设,还可以看到当年女主人的高雅品位。我跟比尔开玩笑:"比尔,你的这些家具都快成古董了?"比尔说:"是啊,这些都是太太当年买的。""这么多年,就没想过换个新的?"我不由脱口而出。比尔说:"除了地毯曾经换过,其他家具基本上没有变动。"

年过八旬的比尔,仍然是那样健康!这是他家里客厅的一角。

　　佳俐和汉青的到来让比尔非常高兴,他拿出自己做的各种小甜点和水果给孩子们吃,并指着一盘巧克力甜点对我说:"快尝尝,这是我今天早上刚烤的。"可不是么,这种刚烤出的点心,有种又香又酥又甜的特殊味道,连平日不爱吃甜点的我也不由得拿起了一块,孩子们更是一刻不停地说:"好吃,很好吃!"比尔见孩子们很喜欢吃甜点,高兴极了。我知道,很多美国人擅长在家里烤制蛋糕和甜点,没想到比尔居然也会。我说:"比尔,你怎么也会烤甜点啊?"比尔说:"我喜欢吃啊!太太在时,她会经常烤一些不同的点心。现在,我就买这种盒装的配好的原料,想吃时,就自己烤点,很方便啊!"

　　比尔还带我们到他的院子里看看,后院挺大的,院墙周围除了挺拔的树就是各种花草。后院里有一间四周全是用纱窗和玻璃门窗修建的娱乐休闲屋,坐在里面饮茶、聊天,或听音乐,实在很舒适。比尔又带我们看了看车库,并指着那辆红色的车说:"那辆车是太太以前开的车,是1988年日本本田车。"太太过世后,比尔自己就开那辆车。比尔看到我和孩子们都有点惊奇的样子,就笑着对我们说,有一次他要开这辆车带他孙子出去看球赛,他孙子居然说:"我不要坐你的车,你的车太旧了。"比尔说他本人从不在乎什么车的名牌,车对他来讲,就是一个交通工具,只要能开就行,所以从未买过名牌车。

看到比尔的车,我不禁想起了一件事。那是在2005年秋天的一个晚上,我和比尔都去参加了丹佛大学的中国论坛演讲会,演讲结束时,已是九点半了。我便问他:"比尔,你的车停在什么地方?"他说:"车停在外边马路上。"想到他毕竟是上了年纪的人,下雨路滑,万一摔了怎么办? 于是我说:"比尔,天黑路滑,我陪你一起走到停车处吧。"我原以为就在校门口的马路旁,没想到走了一个街区,又一个街区,一直走到第五个街区,在那条停车不收费的街旁才看到比尔的车。因雨天,加之比尔的腿部有点不灵便,我们得慢慢地走,竟然走了近二十分钟。

比尔还告诉我们,因为他的家离城里近,所以他平时要去俱乐部参加活动,或到附近商店买小东西,他根本就不开车,全是自己走着去。有时候一天得走两三个来回。我说:"比尔,怪不得你身体这么好,可能就是因为你爱走路?"他点头:"也可能吧! 不过,我一直都非常爱运动,现在我还每周去俱乐部打网球、打桥牌,有时还去跳交谊舞。"听比尔说他"跳交谊舞",我忍不住笑了,说:"比尔,你还跳交谊舞?"他说:"是啊,没错! 我跳舞。跳舞也是锻炼身体啊!"他看着汉青说:"我像你这个年龄时,也和你一样爱运动,篮球、棒球、网球、爬山、滑雪、游泳,都喜欢! 都会玩!"

比尔要请我们吃午饭,于是我们和他一起去了一家美国餐馆。比尔说他非常爱喝红葡萄酒和啤酒,爱吃烤牛排、冰淇淋、甜点。现在年龄大了,为了健康,他也经常吃些蔬菜水果。他和汉青要了烤牛排和沙拉,佳俐和我点的是火鸡三明治。虽然每人只点一份,但给的量比较大,我们都没吃完,比尔也和我们一样,把剩下的饭菜打包带回去。

在从比尔家返回的路上,我问佳俐和汉青,"今天你们到比尔家,感觉怎么样?好玩吗?"佳俐说:"我挺喜欢他们这种老房子的风格。比尔倒是个很有趣的人,没想到他那么有钱,还这么节俭。"汉青问我:"妈妈,你知道比尔给爸爸的学校捐了多少钱吗?"我说:"比尔是给你爸爸负责的丹佛大学美中合作中心捐了一笔钱,资助他们举办一年一次的国际会议和每月一次的有关中国政治、经济、文化方面的演讲活动。除此之外,比尔每年还给其他学校和儿童福利组织捐款,他还捐了一笔钱给丹佛艺术博物馆东方艺术馆,艺术馆的门面上刻有比尔的名字。"汉青说:"我知道很多美国的有钱人,会做这些捐助的事,但他们自己生活也很好啊!我觉得比尔的生活太节俭了。"我说:"是啊,比尔对自己是很节俭。你们还没看到他的那件米色大衣呢。他告诉我那是 1935 年他离家去波士顿菲利普斯埃克塞特学校(美国著名私立高中之一)上高中时,他的父母给他买的一件米色大衣。这么多年的冬天,除了正式的场合,他会穿另一件黑色大衣,平时他都是穿这件大衣。他说,大衣的衬里破了,就找裁缝重新换了个衬里,干洗一下,接着穿。他还很得意地对我说:'这件大衣质量很好,这么多年了,我穿起来还是很暖和……'比尔就是这样一个人!"佳俐和汉青几乎是同时问我:"你知道,比尔的家族那么有钱,为什么他还是这么节省呢?"我笑了:"妈妈曾经和你们一样有这个疑问。有一次,在和比尔聊天时,我问了比尔这个问题。比尔竟然哈哈大笑起来,然后告诉我:'你知道吗,从我的祖父,到我的父亲,我们家里有一条家规,就是要过'Simple Life——简单的生活。'在我很小的时候,我的父母就是这样教育我,我也这样教育我的子女,要过普通人的生活,简单的生活。吃饱穿暖,手头有些零用钱就行了。我父亲过世前,分配给我们兄妹四人每人一份相同的资产,其余的存放在家族的基金会里,主要用于慈善事业。你大概不知道,我年轻时,在高中和大学的假期,也到银行打工挣零用钱……"

这就是我们认识的富翁朋友比尔! 老人家如今已经是90多岁了,自己仍然过着"简单的生活",他和他们的家族基金会将一张张的支票捐给学校、福利院、图书馆、博物馆等公益事业。尽管现在他的腿有点行走不便,可他还是那样开朗、幽默、节俭和健康,他还是每星期去俱乐部打桥牌,有时去丹佛大学听有关中美关系的讲座,只是他不再自己开车,都是他的朋友们接送。

这些年和比尔的交往,让孩子们,也让我们看到了在美国这个多元化、多色彩的社会里,有的人固然出身显赫,有着丰厚的经济基础,但是他们仍然自食其力,像普通人一样生活,在他们的身上有一种默默无私奉献的精神在闪闪发光!

孩子们的厨艺

如果你能来我们家做客,尝到亮靓做的清蒸鱼,汉青做的意大利面,佳俐做的巧克力蛋糕和各式小点心,你一定会由衷地说:"哇! 真好吃!"我也很喜欢他们做的不同于我做的饭菜和点心。尤其是现在,他们远离家在外地工作和上学,回到家,我会给他们先做一顿中国饭,然后让他们各显身手,做他们喜欢的不同国家、不同风味的饭菜和点心。我呢,主要是帮他们打下手,按照他们的要求,洗菜、切菜,由他们掌勺。每当这个时候,我们的厨房里热热闹闹,像过年一样。

现在,汉青每次回来,我都让他做意大利面给我们吃,因为他做的比我做的更有味。他呢,也巴不得练练手艺,我当然乐意配合他,因为这是我们母子俩闲聊的好机会。通常他要我把牛肉或牛肉末备好,把大蒜切碎,西红柿切成一寸左右大小,洋葱和意大利瓜切成小薄块,蘑菇切成小薄片。当我把意大利面放到烧开的水里后,他就开始先炒肉,再炒已切好的蔬菜,然后,把意大利面加进已炒好的菜里,混合好后,放入多种佐料,再用小火炒一会儿,快起锅时放点奶酪。你也许会说,这有什么难的,跟我们的中式炒面没什么大的不同。其实,不一样就在面条本身和所用的各种佐料、奶酪的多少及种类。尤其是加入一种用新鲜的九层塔、松子、生蒜头、橄榄油和盐,研碎搅拌好的新鲜佐料,加进这种佐料后,那味道真是又新鲜又清香又好吃! 这是汉青的拿手菜。那么,亮靓和佳俐呢? 亮靓曾在泰国工作过三个月,佳俐在印度生活过四个月,她们俩时常会做些泰国风味和印度带有咖喱味的饭菜让我们品尝。我们的两位姑娘,除了会做饭菜,她俩也很擅长做各式蛋糕和甜点。她们从小爱吃巧克力蛋糕,但店里卖的比较贵,她们就想自己做,我觉得她们愿意自己学做点心是好事,就让她们大胆尝试,为此,我还买了多种做面包、蛋糕和点心需要的小机器、烤盘和计量用具。每次家里来客人,她们会做一些甜度适中的点心和蛋糕来招待客人。大家,尤其是中国朋友们十分喜欢吃这两位姑娘做的新鲜可口的蛋糕。即使是我们的美国朋友,许多人为了减肥,也喜欢吃这种低甜度的蛋糕。每逢孩子们的的派对、学校俱乐部的募捐活动时,她们都会做各种小点心和大家分享。有一次,佳俐的学校俱乐部展开募捐活动,她做了两大盘带有巧克力和核桃仁的甜点,带到学校卖给他们的俱乐部,赚了 50 多块钱,而全部成本还不到三块钱。

你也许会问:"你们的孩子喜欢吃中国饭菜吗?"喜欢! 他们从小到大,在家里主要是吃中国饭菜。不但他们喜欢吃,连他们那些常常到我们家里玩的美国小朋友们,也非常喜欢吃我做的中国菜、春卷和饺子。汉青的一个小朋友,特别喜欢我做的炒牛肉丝,每次来我们家里,那一大盘牛肉丝,他恨不能一个人全包了。那孩子回家还要他妈妈做给他吃,他的妈妈为此专门来问我这道菜的原料和做法,我告诉她后,她做了几次,孩子总是说"味道不一样"。以至于汉青对我说:"妈妈,我的朋友们都喜欢吃你做的中国饭菜,你应当开一家中国餐馆!"他们的爸爸很会包饺子,他一人擀饺子皮可供三个人同时包,而且擀的饺子皮是中间厚,旁边薄。孩子们从小耳濡目染,爱吃饺子,也跟爸爸学包饺子。后来,他们的爸爸工作忙,没时间包饺子,我就让他们自己动手包,这里有张照片,正好记录了当时他们姐弟三人在包饺子的情形,照片上的亮靓是 12 岁,佳俐是 5 岁,汉青才 2 岁多。

除了包饺子,他们也学做不同的中国菜,他们做的清蒸鱼、鸡丝炒面、西红柿炒鸡蛋、麻婆豆腐和豆瓣虾,有时比我做的都好吃。我们在美国的许多地方生活过,我们的美国朋友和孩子们的同学朋友们,都品尝过我们家里做的中国饭菜,也都非常喜欢。现在,亮靓工作了,她有时与朋友们相聚,自己也会做些

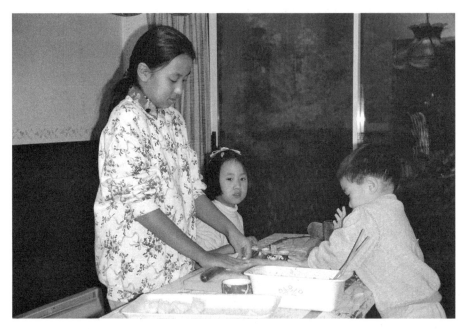

"喜欢吃饺子,自己学着包吧!"(左为亮靓,中间为佳俐,右为汉青)

中国饭菜与大家分享,她常常会自豪地打电话告诉我:"朋友们都喜欢我做的清蒸鱼、鸡丝炒面……"

　　孩子们上大学前,每年中国的春节,我会尽量多做几种中国菜,并告诉他们中国的饮食文化。他们慢慢地知道了在中国的新年,"为什么鱼不能都吃完?"因为"鱼"和"余"是谐音,人们这样期盼着"年年有余"和富裕的生活。"为什么吃饺子?""为什么这个菜叫'全家福'"……还有,端午节为什么要吃粽子? 为什么划龙舟? 中秋节为什么吃月饼? ……这些看似普通的中国菜肴和食物,实则蕴含着深厚的中国文化。孩子们从小好奇,听我们解释一个个"为什么?"他们也就一边吃,一边听,一边记住了。日积月累,他们逐步地了解到中国的文化是这么博大多彩,连什么节日,吃什么菜,怎么吃,为什么要那样吃,都有这么多说法! 他们幼小的心灵深深地被中国文化的魅力所吸引。

　　当他们一年年的长大,开始学做的各种饭菜和点心,有的是受我们的影响,有的是看到我们的朋友们来家里聚餐时带来的菜肴,有的是他们自己从不同的食谱和电视上看到,自己尝试着做。现在,他们如果想做什么,就到网上去查找菜谱。他们通常是会按照菜谱上介绍的去做,但有时他们是基于菜谱,再加上他们喜欢的东西来点创新。他们做的菜与我不同的是,我做菜时,放油放盐放酱油,都是凭经验,拍脑袋,从未计算过,因此,有时会有咸淡之差;可他们呢,尤其是开始学做新东西,都会按照菜谱,严格地计算所用的原材料和佐料。这正是他们受西方文化的影响,总要准确地计算做糕点和饭菜的用料。

　　也许你会说:"很多中国家庭的孩子,并不喜欢吃外国饭。你的孩子们,他们喜欢吃那些外国饭菜吗?"其实,他们之所以现在乐意吃不同国家的饭菜,那是事出有因。早在亮靓上大学一个多月后的一个周末,她打电话给我,说:"学

亮靓(中)带着弟弟妹妹,烤比萨饼。

校的饭菜天天都差不多，都是些比萨、汉堡包、意大利面、鸡块、沙拉，我吃几天，就不想吃了。妈妈，我现在很想吃家里做的饭菜。"还说，"某某同学的妈妈专门从旧金山给她寄了八宝饭……"我问她："八宝饭怎么寄呢？"她说："她的妈妈先把八宝饭煮好冷冻起来，然后装到塑料盒里寄来的……"我明白她的意思，是希望我也给她寄点吃的去。我想了一下，告诉亮靓："妈妈也可以像你这位同学的妈妈一样，做点中国饭菜寄给你，但是，你想过没有，如果妈妈这样做，对你有好处吗？妈妈能天天给你寄吃的吗？"她说："当然不可能。"我转而对她说："亮靓，你可能是想家了。实际上妈妈也很想你……但是，你长大了，又在这么好的大学，你要学会逐步地适应学校的生活，包括饮食。学校的饭菜种类多，你试着每天吃不一样的东西，可能感觉会好些，你说呢？"她说："那我试试吧。"我又说："还有两个月，就到感恩节了，那时你放假回来，妈妈给你做好吃的，好吗？"她勉强地答应："好吧。"亮靓的这个电话，引起了我的深思，孩子们总有一天要离开家远走高飞，如果在家里总是吃中国菜，养成"中国胃"，怎么能够适应外界的环境呢？亮靓在家时，我们偶尔也吃过墨西哥的塔口饼，意大利的比萨饼，有时她们还自己做，但是次数屈指可数。现在，佳俐和汉青还小，就得让他们常吃一些不同国家、不同风味的饭菜，这样今后才能比较快地适应新环境。正因为如此，我逐步地改变了过去的做法，有意识地学做一些不同国家的饭菜，如有时我学做美国人的晚餐，烤鸡腿，做土豆泥，炒盘西兰花，煮点玉米，让他们吃；有时我会做日本的苏西、炸虾和炸胡萝卜片、青椒片等，他们吃得津津有味；有时我还会做点墨西哥的饭菜。当我们全家外出到餐馆吃饭，就让他们选择不同国家的餐馆。同时，对他们喜欢吃的麦当劳的汉堡包、炸土豆条，肯德基的炸鸡块，我有时会睁只眼闭只眼地让他们去。有意思的是，等到他们大了，成了高中生了，他们自己就不再要去美国的这些快餐店了。佳俐和汉青上高中后，每逢放暑假时，只要有时间，我便让他们自己学做不同的饭菜，他们自己也喜欢动手，觉得好像是在做化学试验，添这加那，不同佐料可以变出不同的味道，蛮有趣的。这样,他们俩上大学后,就比较快地适应了学校的饭菜。

　　总之,我们的孩子是在美国的中国人家庭里长大,他们从小吃中国饭菜,发现中国的饮食文化是那么有趣。他们也常与同伴们分享中国美食,从而结交了许多朋友。他们从品尝不同国家的风味,到自己学着做,终于从"中国胃"逐步变成"多国胃",他们在学习,在成长,在走向越来越多元化的世界。

他们其实很能干！

　　你不要认为自己的孩子还小，其实他们是很能干的。他们是真诚可爱，又都是那么好奇，那么充满想象力，像海绵一样渴望了解那无数个为什么。当他们一天天地长大，长得比我还高了，他们的知识面也愈来愈广，各方面的能力也与日俱增，比我在同样的年龄段时，要能干多了！孩子们其实都是有不同的潜力和可塑性，只是我们成人常常会觉得他们只是个小毛孩，懂什么？而往往让他们收缩起自己的小羽翼，躲在妈妈温暖的翅膀下。如果让他们试着做些小事，也许你就会发现，原来他们可以做，甚至可以做得很好！孩子们的动手能力实际上就是这样逐步发展起来的！

　　在我们家里，对于佳俐和汉青来说，亮靓是个大姐姐，她天性热情活泼而率直，小的时候，家里来客人，端茶倒水都是她的事。快到她7岁的生日时，她告诉我想请小朋友们到家里来热闹一通。我说："好啊！你列一个表，把你要办派对需要的东西写出来，妈妈帮你买，你来主办，好吗？"她欣然答应。那时，她虽然不大，到美国也才两年多，但是，她多次参加过小朋友们生日派对，也在戴比家过了她的生日，她知道庆祝生日都需要些什么东西和怎样的过程，她满怀热情地张罗起来。她自己做了生日派对的邀请卡，写上派对的时间、地点，寄给了七个同学，还告诉我给每个小朋友买点小礼物，如彩色铅笔、小笔记本和泡泡糖之类的东西，放到彩色的纸袋里，让来参加派对的小朋友带回去。她还让我买点彩色气球和彩带，要把家里装扮一下，再买一个大的巧克力蛋糕。结果呢，她的小朋友们高高兴兴地来，也能带着礼物高高兴兴地回去，大家玩得很开心。虽然这只是一个孩子的生日派对，但它向我展示出了小亮靓的潜能。从那以后，凡是佳俐和汉青的生日派对，我全都交给亮靓去筹办。后来，佳俐和汉青慢慢大了，他们三人会在一起商量着，根据每个人的不同情况办不同的派对。他们还常常悄悄地给我和他们的父亲举办生日和结婚纪念日的庆祝。我们家里经常会来一些客人们，他们自然地成了我举办家庭餐会的"谋臣"和得力助手。在我们的相册里，尤其是他们小时候的照片，有很多都是记录了他们和同学们一起庆祝生日时玩游戏、切蛋糕、拆礼物的欢乐场面，你可以看到亮靓是其中的小指挥。

随着他们的年龄增长，当他们可以开车了，当他们也可以切菜做饭时，只要他们有时间，想自己掌勺，我就让他们来做午餐或晚餐；感恩节的家庭聚会，我也逐步退到"二线"，让他们操作，从买东西到饭菜端上桌，全由他们做主。即使

"好，帮妈妈把车洗干净!"

是现在,他们在外地上学或工作,回到家,只要他们想做点什么自己想吃的,我就主动让位给他们去张罗。他们有时间也会自己清洗汽车,清扫自己的房间卫生。就连家里的家具,都是孩子自己组装的。书房里的两个书柜和写字桌,客厅里的沙发桌,餐厅里的餐桌,我们睡床的床架,主要是由佳俐组装的。你看后会吃惊吗?说真的,这也是当时连我自己都没有想到的事。

那是 2002 年的暑假,我们在丹佛买了房子后,就要添置家具。当时,除了餐厅里的大玻璃橱柜是家具店整体装配好,运到家里,其余的家具全是一块块标准件的木块,装在一个个大纸盒里,由家具店送到家里。当我看到那一个个大大小小的纸盒堆在地上,我想,自己组装,这可要装到什么时候啊?真是太麻烦了!正当我看着这一大堆纸盒发愁,小佳俐从楼上下来了。"哇!这么多?都是些什么家具啊?"佳俐问我。我说:"你看看,这盒子上有标注,就是书橱、桌子和茶几。"我又说:"你爸爸哪有时间来装这些,我也不会装。我在想,我干脆再花点钱,让家具店派人来组装,省点事。"佳俐说:"那要多少钱啊?"我数了数,说:"一共大概要一百多块钱吧?"佳俐说:"那么贵啊,我来试试吧?""你来装?行吗?"我怀疑地问她。她倒是满有信心地说:"这有什么不行,照它的图纸组装,有什么难的?"我看到佳俐跃跃欲试的样子,想到她说的话也有道理,再说她这个孩子,虽然年龄不大,但是动手能力很强。我说:"那好吧!你来装,妈妈给你打下手,需要我,就叫我。"她先打开书桌的盒子,把一块块木板和螺钉取出,放好,然后按照图纸的解说,一步一步地,真的就像搭积木一样把书桌给搭起来了。我看到佳俐真的就这样把书桌给装好了,心里很高兴,和她开玩笑说:"哇!我们的赵小姐,这么能干!等你爸爸回来,让他看看,这可是我们赵小姐的作品!……你先歇会儿,明天再装书橱吧。"她说:"我今天先装一个看看。"书橱比书桌稍微复杂点,因为有上下两层,上面是玻璃镜门,下面是小木门,中间还有一个个搁板。她倒是很仔细地把每个部件和需要的螺钉,先按图纸上的标示和解说,分类放好,然后一件件地装配到一起。当她准备把四周已固定好的书架要竖起来时，就叫上我和汉青来帮忙。我们看到竖立起来的书架，两边的玻璃门有点不太对称，一边的门稍微有点长，往下拖。佳俐又仔细地看了看图纸，检查了安装的零部件，都是按照图纸上的编号和规定放上的。于是我说："看来这可能是他们制作时的偏差，回来让你爸爸再看一下，然后告诉一下家具店，他们应当会给换的……"接下来，佳俐又花了点时间，把两个书橱安装好后，又把茶几给装好了。等到餐桌和床分别运到后，基本上都是佳俐负责组装的。

当年14岁的"赵小姐"帮家里安装的这些家具，不仅节省了钱，更向我证实了孩子们的动手能力比我强很多。我还记得那是汉青上初中三年级的下学期，有一天他告诉我："妈妈，马克自己装了一个台式计算机，才用了三百多块钱，比商店里卖的计算机便宜一两百呢。而且屏幕比我们现在的还大，速度还快。"我说："是吗？才三百多块钱，那是比店里便宜不少。"他接着问我："妈妈，你不是准备买一个台式计算机吗？干脆让我来装，怎么样？"我看了看他，说："你装，行吗？"他说："怎么不行？马克说组装计算机不难，他说，如果我要装，有问题的话，他可以来帮我。"我想了想说："这样吧，等我看看马克自己装的计算机，再决定。"汉青可是记住这句话了，到了周末，就要我去马克家，我看了那台计算机，是很不错。汉青又把商店里卖的同样大小，功能也差不多的计算机的广告让我看，比较一下，自己装，至少手工费是省下来了，也给他一个动手动脑的机会。于是，我和他爸爸商量后，就改变了原先想买计算机的计划，让他放暑假时自己装一个台式计算机。

自那以后，汉青的小脑瓜里就是关于计算机的事。每次家里的报纸来了，他不是看内容，而是看广告，看有哪些计算机的零部件在降价，有时也和马克到卖电器零部件的商店里去看，比较价钱，还回来说给我听。放假后，他为了节省费用，自己跑了好几个店比较价钱，等到把所需的零部件全买到了后，他有点兴奋地说："妈妈，我明天来装计算机！"第二天，早上我上班时，他们还没起床；等我下班回来时,汉青听到我开车库门的声音了,赶紧跑到门口,说:"妈妈,计算机装好了!"我一听,都不敢相信,反问他:"真的吗？都装好了？怎么会这么快啊？"汉青高兴地对我说:"妈妈,你快进来看。我三个多小时就装好了。""真的？看来妈妈是太落后了,我还以为至少要好几天的时间呢。"当我一进屋,地上乱七八糟地堆着大大小小的纸盒,书桌上放了一个崭新的台式计算机,我不能不感叹,如今孩子们太聪明能干了！我问他:"都是你自己装的?"他说:"是啊！我装好后,一开始图像不是很清楚,我给马克打了个电话,他来看了看,帮我调了调,你看,现在图像多清楚,速度也很快。怎么样,新的计算机好用吧!"我说:"好,好！小子哎,你也很能干啊！不过,你可别一天到晚在计算机上玩游戏呵!"他说:"妈妈,怎么会呢？这个计算机主要是给你用的,你不用再买了,我这不也是在帮你省钱吗?……"

汉青装的这台计算机,我们一共用了六年多时间。他在家时,主要是我们俩用;他上大学后,就是我一个人用。直到去年年底,因为有个部件坏了,汉青觉得如果更换,有点不值得,才让它"退休"了。当汉青和我一起把它装进纸盒里时,他还有点恋恋不舍地说:"妈妈,这是我自己装的第一台计算机！你可别把它扔了!"我说:"汉青啊,妈妈知道,这是你的杰作,妈妈会给你保存好的!……"

如今,当我回想起三个孩子平日在家里做过的一件件看似不起眼的小事时,我在想,实际上,每个家庭都有这些家务事,每个孩子也都有着不同的能力和特点。让他们从小在家里做点家务小事,从中学习动手——自己做;动脑——自己想;动嘴——与别人商量和交涉;动腿——到商店比较价钱,买需要和实用的东西,这样日积月累,就能逐步地训练了孩子的动手能力、组织活动的能力、与外界交往的能力和独立生活的能力。不久,你就会发现,孩子比你想象的要棒很多！

"让他们玩会儿吧！"

我的很多朋友们常常问我："你的孩子玩计算机游戏吗？"我笑了，说："当然玩啦！"是的，他们和其他孩子们一样都喜欢玩！找到时间就会玩，玩电子游戏，玩玩具搭积木，玩牌。即使是现在，逢到节日，他们都回到家了，我和三个孩子，我们四个人还一起打牌，打争上游，谁输了，还得绕桌子爬一圈……玩，是我们人类的天性，我们成人不是也喜欢玩吗？我们不是也经常聚在一起唱卡拉OK、

曾经，他们三人常常是这样，坐在地上，边吃边玩……

打牌、打麻将吗？为什么孩子们就不能玩呢？"哎，这不是怕影响孩子的学习嘛！"是的，这是一个非常正当的理由，因此不让或者限制孩子们玩。我也曾经这样想过，做过，还做了一个短期的实验——规定他们玩电子游戏的时间。可是，实验失败了。后来我从失败的实验中发现了原因，又改变了做法，做了新的尝试，没想到，效果还挺好的！他们既没有影响学习，也玩了他们喜欢的电子游戏，我的心里自然也轻松许多。你一定想了解那个实验和新尝试是怎么回事吧……

　　亮靓小的时候，还是以搭积木和玩纸牌为主的年代；后来到 80 年代末和 90 年代的游戏是在电视上玩，我们大人可以看到孩子在玩什么游戏，玩多长时间。可是这些年来，随着科技飞速发展，孩子们全都在网上玩游戏了。这一个大大的网络把全世界孩子们都笼罩起来了。记得有天我问汉青："你在和谁玩游戏呢？"他说："我不认识，是在日本的一个人"、"是在挪威的一个人"、"是在中国的

孩子们在落基山上，欲与天公试比高。

一个人"……不认识的人也可以千里之外一起玩电子游戏,这在过去听起来不是天方夜谭吗? 可现在,却是现实,就发生在我眼前!

在90年代初,我们家里也买过一台当时孩子们渴望的游戏机,通常都是他们的朋友们到家里来生日聚会和过夜时,或者放假了,一大帮孩子们来玩上几个小时。亮靓和佳俐对这种游戏,不是那么热衷,偶尔玩玩,因此我就没有想过玩这种游戏会对她们的学习有什么影响。汉青小的时候,两个姐姐不开游戏机,他也从未要自己玩过。等我们搬到丹佛后,亮靓上大学了,佳丽是初三,面临上高中,学习比较紧,几乎忘了那些游戏。汉青呢,除了上学,更多的时间是和小朋友们一起玩了。

那时汉青十多岁,上小学五年级,经常邀着三五个孩子到家里,坐在地毯上,打开游戏机,一个个手里拿着个控制器,目不转睛地盯着电视屏幕上的跑车和线路,比谁跑得快。看到他们每个人都是那么专注的样子,我常常是睁一只眼闭一只眼,让他们玩会儿吧。小学和初一,汉青除了少量的作业、踢球、参加数学比赛外,其他时间,几乎都是在玩中度过的。那时候,我是让他"放鸭子",同学来家里和他到同学家去玩,只要和我打个招呼就行了。

等到汉青上初二了,我开始对他有所要求了。我希望他有时间尽量多看点课外书,少玩点游戏,即使是同学们周末来家里玩游戏,也规定他们不要超过两小时。可是,孩子们玩起来,谁会记住那两小时的规定? 这时,我会有意识地叫汉青说有这事或那事,通常,他们会到此为止;可有时他们实在玩在兴头上,我也就让他们再玩会儿。你也许会想:"这不是挺好的吗?"是啊,当初我也是这么想,看来,我这规定还行得通,所以这实验就继续做。但是,这毕竟是我给他的硬性规定,他没有自觉地意识到珍惜时间看点书的重要性,终于,有那么一天,我发现我的规定实际上是无效了!

那时,汉青的一个同学和好朋友斯蒂夫,几乎是和我们同一时间从外地搬到丹佛。初到异地,大家都是人生地不熟,他们俩在一个班,加之我们两家住得比较近,也就常来常往了。斯蒂夫家里有五个孩子,四个男孩和一个女儿,最小的一对双胞胎的小男孩和小姑娘是"计划外",所以和三个大哥哥年龄上相差很大。孩子们的父亲是医生,母亲主要在家里照顾孩子。他们是犹太人,信奉传统的犹太教,所以只有等到星期六的晚上,太阳下山后,才可以和外人玩。对汉青来说,星期六白天他要踢足球,晚上就到这孩子家去玩。开始他还是去玩几个小时就回家,后来,四个人越玩越投缘,汉青干脆就在那里过夜了。

那是一个星期天下午,我到斯蒂夫家去接汉青回家。平时,汉青知道我去接他,会在差不多的时间到门口来迎我,那天他却没有。斯蒂夫的妈妈开门请我进去,我们寒暄几句后,见汉青还没上来,我就到楼下去找他了。哇,这么大的地下室,左边地上几乎全是两个小双胞胎搭的积木,右边部分,除了沿一面墙建造的书架外,还放有一张两用沙发、电视和两个台式计算机。汉青还在和他们玩,看到我就说了一句:"五分钟就完了……"回家的路上,我说:"这下玩得过瘾吧? 昨晚几点睡的?"汉青说:"不知道几点,反正挺晚的。"我问他:"你吃饭了吗?"他说:"吃了。中午,斯蒂夫妈妈用鸡胸脯肉和土豆、胡萝卜、青豆混在一起,加上其他佐料,烤出来的'帕艾',味道真好! 我吃了好多。妈妈,你可不可以做啊?"我说:"那我下次问问斯蒂夫的妈妈怎么做的? 哎,你们这几个大小伙子,都那么能吃,一个'帕艾'够吃吗?""当然不够,他妈妈烤了两个大的。"我说:"你还有作业吗?""我都做完了。就是要再看点书,写读书报告,还有两个星期才交给老师。"从问话中我知道了,他们肯定是玩得很晚才睡,到快中午才起来。我也逐步发现,汉青在家里玩游戏的时间少了,常到这个朋友那个朋友家,一去不是过夜就是四五个小时才回来。虽然我没有仔细问他玩些什么游戏,心照不宣,就是去玩这些电子游戏,但至此,我的规定已经毫无作用了。他比我还聪明,你规定我玩的时间,我到朋友家玩,没时间限制!

说心里话,我开始是不喜欢他这样玩游戏,觉得是浪费时间。但是,当我正视现实,在美国,在这个电子游戏这么普及的国家,如果我不让他玩,别的同学都会玩,也都知道各种游戏是怎么回事,同学们谈论起来,他像傻子一样什么都不知道,那不是把自己孤立在外了吗?谁会和这样的孩子交朋友呢?朋友,对于成长中的孩子们来说是何等的重要!再说,很多游戏也是需要脑、手、眼互相密切配合,有的还要会点技巧才能战胜对方,从这个角度来看玩电子游戏,这不也是一种学习和智力训练吗?还有,这种电子游戏已经从在电视上玩,到随时随地都可以在自己的电脑甚至是手机上玩,我怎么可以管得住呢?我根本不可能随时随地盯着他!另外,斯蒂夫的哥哥马克比他们大三岁,不但一直很喜欢玩电子游戏,也动手自己装计算机。到高中后,他选学计算机课程,大学学的是计算机专业,品学兼优,如今从事计算机方面的工作,干得也非常好。基于这样一些原因,我没有限制他们玩电子游戏,只是在规定了他们玩的时间。可是,随着年龄的增长,这样的时间限制也已经失效。我想到,实验失败的原因是内因没有发挥作用,汉青慢慢大了,这种外在的限制当然要失灵!问题的关键是要他自己意识到学习和玩电子游戏之间的关系,孰重孰轻?意识到他自己今后要走什么样的路,成为什么样的人!明白了这些道理,相信他自然会处理好类似这样的关系了。

当我想到要调动他的内在因素时,一次机会来临了。在汉青高中快开学前,我和他简短地谈了一次话。我问他:"汉青,你知道爸爸从中国来美国时,只有50美金;妈妈带着亮靓来时,两个人也只允许换60美金,我们拎着一个小手提箱就来了。我们没有一个亲人在这里,一切都是从头开始。你看现在,我们有车开,有舒适的房子住,你爸爸也是终身教授,我们生活稳定,你们也衣食不愁,靠的是什么?"他说:"我知道,要靠自己的奋斗!现在要好好学习,对不对?"我笑了,说:"儿子,你知道就好!你上高中了,看你现在比妈妈都高了,过几年又要离开妈妈上大学了。说真的,想到你们一个个都离开妈妈了,妈妈心里真是很舍不得……好在你还有四年能和妈妈在一起,妈妈对你没有别的要求,只是希望你自己要珍惜时间,尽量学习多方面知识,锻炼自己各方面的能力!妈妈知道你很喜欢玩电子游戏,适当地玩玩,没有什么关系,只是你现在是高中生了,你要学会安排自己的时间,懂吗?"汉青也爽快地说:"妈妈,我知道,我会的!"我说:"妈妈相信你!"作为母亲,我看着孩子从小长大,知道他的秉性,只要他自己心里明白了道理,他会尽力而为。高中四年,除了高二那年,他由于心理压力,一度玩游戏时间比较多;在高中的后两年,除了假日,他的精力主要都是放在学习和学校内外的各种活动上,很少有时间玩电子游戏。高中阶段,我没有再规定他玩电子游戏的时间,我也基本上不过问他玩游戏的事,即使有时看到他在计算机上玩游戏,我也不说什么,他也不避讳我,照样玩他的。那时我想,他们高中阶段的学习很紧张,偶尔玩会儿游戏,也是一种精神上的调剂,让他玩会儿吧。只要他心里清楚,自己的路要靠自己走,给他自由,他会合理安排自己的时间。

事实也是这样,四年的高中生活和学习,让汉青既丰富了自己的知识,学会了处理很多事情,也学会面对压力,增强了多方面的能力。学习成绩嘛,除了一个醒目的 C,也还是以 A 为主。同时,他也没有间断与认识的和不认识的人玩游戏。

至此,你知道了我失败的实验和新的尝试结果了。作为孩子的母亲,我是希望他们能够成为品学兼优的好学生,但我也深知,知识的积累是来自多方面的。正因为如此,我当然会给孩子们自由发展的空间,也自然会"让他们玩会儿吧"!

中国——我们的根

我们 1985 年来美国后，尽管一直都非常思念国内的亲人们，但是，限于当时的经济条件，一直到 1994 年，我先生开始在大学工作，有了一份固定的收入，我们全家五口人，才得以第一次回国探亲。

毫无疑问，当我们回到家乡合肥时，父母、亲戚、朋友们都兴奋极了！九年了，我们每个人都有变化！他们看到当年离开国内才四岁多的小亮靓，已成了

他们从小对学习中文很感兴趣。

一个大姑娘;除了他们的奶奶和姥姥,其他亲戚和朋友们都是第一次见到两个"小美国佬"佳俐和汉青,当时佳俐六岁,汉青三岁多。"他们居然都会说中文!"这更是让大家高兴不已,免不了问这问那,孩子们呢,也会用他们熟悉的中文对答如流。对这三个孩子来说,他们是第一次见到这么多亲人,自然也是欣喜万分! 仅以我和我先生两家在合肥的亲戚来说,三代人加在一起,就有 70 多人,当时和亮靓、佳俐、汉青同辈的孩子们就有 12 个,现在自然又多了。因为那些年,我们在美国除了朋友,没有任何亲戚,三个孩子一下子见到这么多亲戚,有这么多年纪相仿的同龄人可以一起玩,当然非常兴奋! 但是,难的是,他们要尽快学会该怎么称呼这么多亲戚。虽然在回国前,我曾经告诉过他们一些称谓,但他们没有概念,就没太理会。他们对中国的称谓与美国的有所不同,已从"爷爷、奶奶、姥姥、姥爷"之间的区别了解一些,但当他们到了合肥,面对这么多的亲戚:叔叔、伯伯、舅爷爷、舅姥姥、舅舅、舅妈、姨娘、姨夫、大姑、小姑、姑夫、表姐、表哥、堂弟……众多的称谓,说起来一大串,他们开始有点犯难。可是,当大家面对面"对号入座"时,孩子们还是很快地学会了怎么称呼。我们的亲戚朋友多,每天的饭局不断,孩子们可高兴了! 他们最喜欢的是在中国吃中国菜! 在那三个星期里,今天去这家,明天去那家,或者去餐馆,在去之前,我们都会提前告诉他们是去谁家,该怎么称呼,他们也都边学边说边记。这大概可以说,是他们回国上的第一节语言课。由此,让他们也体会到了中美文化的不同和中国文化的丰富多彩,因为在美国,人们都是习惯直呼其名,很少用称谓,比较简单;而回到国内,他们就必须要尽快地学会这些礼貌用语。

因为亮靓是在北京出生的,而她当时已经 13 岁了,我们就把两个"小美国佬"留在合肥的爷爷奶奶家,带着亮靓前往北京一个星期。重返北京,对亮靓来说是一个美好的回忆。我们一起去看了她出生的北京妇产医院,去了当年在北京的住处和她上过的幼儿园。当我看到我们住过的楼前的那两棵松树正在迎风摇曳时,我对亮靓说:"当年,我们搬到这栋刚盖好的新楼时,管理人员在楼门

虽然都是第一次见面，但和自己年龄相仿的姐妹们一起，孩子们玩得很开心！

前种下了这两棵小松树和花草。那时，这两棵松树才一点点高。你奶奶从合肥到北京开会，来看我们时，她还带着你，在这棵小松树前留过影。现在你长大了，这两棵松树也长大了。来，你就站在那儿，妈妈来给你拍张照片，留个纪念。"

真是无巧不成书，就在我给亮靓拍照时，从楼里走出一个人，我们互相对看了一下，几乎是同时认出了对方，竟是我们当年的邻居，这种意外的巧遇，让我们大家都很兴奋！她上下打量着亮靓，说："亮靓，你不记得阿姨了吧？你小的时候，每天刚从幼儿园回来，就要到阿姨家来，找小哥哥玩……看，现在你都长这么高了！走，我不上街了，到我们家里去坐坐……"说着说着，她拉着我们上楼。我们两家邻居五年，她也是看着亮靓出生、长大。大家越聊越高兴，后来就一起到楼下附近的餐馆边吃边聊。九年了，他们的生活也有很多变化。他们的儿子比亮靓大半岁，也在上中学，先生到电视台工作了，她本人已是一家大旅馆的部门经理，家庭生活也很幸福自在……告别了邻居，我们又带亮靓去参观了我们曾经学习和工作过的地方，拜访了许多在北京工作的老朋友和亲戚。北京那些著名的风景点、博物馆，我们带着亮靓重游了一遍。北京一游，使亮靓对她的出生地——首都北京，对那些历史文化古迹，对北京人的好客和热情，留下了美好而深刻的印象。以后，每次回国，她都要在北京停留。

当亮靓上了大学后，2000 年的暑假，她非常荣幸地随着"第二批海外杰青汇中华"的代表团，到国内进行了为期两个星期的参观访问。他们在香港汇集，然后到广州、上海、西安和北京参观访问。所到之处，当地的领导和有关负责人都会出面接见他们，和他们座谈，并且组织他们参观学校、研究机构、公司、工厂和服务行业，同时游览当地的名胜古迹和观看京剧、杂技和民族歌舞。当他们到达北京时，中央有关领导还在人民大会堂接见他们这些年轻的海外华裔大学生。这种经历不但让她终生难忘，也让她大开眼界。当然，她和我们谈到那些活动时，曾有些不理解地问我："在广州，我们要去参观景点时，竟然是用警车在前面为我们开道，马路上的车辆和行人们都得停下来，等我们的车走后，他们才能走。这样做，是不是耽误别人的时间？"我笑了，说："傻孩子，那是他们把你们当贵宾招待啊！否则，怎么可能用警车来开道呢？再说，可能是你们活动安排的时间比较紧，他们怕路上堵车会影响你们整个的行程安排。"亮靓说："是的，我们每天的日程安排都很满，几点到几点做什么，都写得清清楚楚，所以，我们去了那么多地方……"在这之后的大学期间，亮靓还在暑假期间，到北京的一家美国公司里实习了一段时间；还参加过由杜克大学教授和卡特中心组织的一个有关中国农村基层选举的调查和研究的项目，去了河南、湖北等地的农村实地考察。正是这一次次回国之行和参与的活动，让她亲眼看到了中国的社会风貌，了解了中国的历史和现状，也加深了她的乡土之情。

亮靓上大学和读研究生时，多次回国的安排，都是她自己选择和做主的，我们只是在一旁辅助。而佳俐和汉青当时还比较小，就得随我们安排。那是 2004

亮靓在"第二批海外杰青汇中华"的欢迎会上。

年暑假,亮靓当时在北京的美国公司实习,我和先生带着佳俐和汉青去了合肥。在探望母亲和亲戚们后,我们飞到重庆,沿长江而下,游览三峡。此行,不但让他们明白了"长江三峡"的含义和各个峡的名称,拍下了沿途许多壮观奇特的景色,更让他们难以忘怀的是,在那丰都"鬼城"和"石宝寨"的高高山顶上,那座座庙宇,那亭台楼阁,那石雕和碑文,那蜿蜒曲折的青石路,在当年的交通和科学技术都非常不发达的年代,是怎么建成的?中国人的聪明和智慧、勤劳和勇敢的精神,让他们敬佩不已!尤其让快 14 岁的汉青非常惊讶的是,"三国演义"的故事和"刘备托孤"的雕塑,居然会展现在这么高高的山顶上!他小时候曾和我们一起看过"三国演义"的电视剧,那时他不懂什么意思,就是喜欢看那拼打厮杀的场面,最多也就是记住了刘备、张飞、关羽、曹操、诸葛亮……这些人物的名字和一点成语。当他再次看到那些塑像,我们又给他解释一番,让他回想起了

"三国演义"中的人物和故事,加深了对"草船借箭"、"望梅止渴"、"赤壁之战"等历史的记忆和兴趣。顺江而下,沿途的"张飞庙"、"神女峰",一个景物一段故事,让佳俐和汉青站在船头,"任凭风吹浪打",也不愿回到座舱里"闲庭信步"。文明古国悠久的文化历史,就像那绵延起伏的山峦和奔流不息的江水,深深地印进了两个孩子的脑海里,流淌在他们的心田……

当我们抵达武汉住进旅馆后,他们俩要去理发,我就给了钱让他们自己去。我以为半小时或四十分钟足矣,结果近一个半小时他们才回来,并且很得意地告诉我们,理发师们猜出他俩不是本地人,就问了他们许多问题,他们用中文回答了理发师们的问题,也觉得那些问题很有意思。如果不是要下班了,他们还会在那儿聊天。这次,他们很神气地对我说:"怎么样,妈妈,我们的中文还可以吧? 我们可以自己用中文回答他们的问题,他们也明白我们的意思。"我说:"好啊,你们这样和他们聊天,你们的中文就会越说越好,你们也可以更多地了解当地人的生活,对不对?"他们这些孩子每次回去,看到国内都有新的变化,既惊喜又非常好奇,总想了解更多的东西,也很想能有机会去看看那些边疆地区。

这样的机会到了! 2006 年的春夏之交,亮靓研究生毕业而佳俐高中毕业,作为父母,我们送给她们的毕业礼物,是让她们去一个她们俩盼望已久的地方——世界屋脊西藏! 她俩得知后非常兴奋,连他们的朋友和同学们都很羡慕她们的此行。不知为什么,西藏在许多美国成人和学生们的眼里,是那样的神秘和神奇,他们很多人都梦想去那里看一看。她们俩六月中旬飞上海经成都,到达拉萨后很兴奋,开始时有点儿高山反应,睡不着觉,还有点头痛,但很快就适应了。她们打电话告诉我的第一句话就是:"妈妈,拉萨跟我们丹佛很像!"我说:"是吗? 你们也这样认为? 那妈妈就不用去西藏了。"她们说:"不,你还是要来看看,我们说很像丹佛,是指丹佛也是高原,碧蓝的天空,蜿蜒绵亘的落基山,清新的空气和一望无垠的黄土地,这点和拉萨非常类似。但其他好多东西根本就不一样,我们在中国其他地方也没有见过……"她们告诉我,跟着导游去了拉萨和周边的旅游景点,参观了布达拉宫、圣湖、庙宇,看到了很多喇嘛在念经;逛了市场,还买了好几张当地的特产"唐卡"、藏珠项链和手链;还看了当地歌舞团的演出,吃了当地藏民们的饭菜和喝酥油茶……她们俩在与导游和司机聊天时,还问了他们一个很多美国人和学生们都关心的一个问题:怎么看现在的西藏?那导游和司机都是当地的年轻藏民,导游只比亮靓大三岁,也是一个单身姑娘。她很坦率地说,他们很喜欢目前的生活,现在的生活是他们的父母那一代不能比的!她的父母没有文化,而她上了大学,会说汉语和英语,现在有份收入很不错的工作,除了自己的生活完全自理,每个月还能资助父母;他的弟弟现在在北京的民族学院念研究生,等拿到学位后,他准备回拉萨来教书……在与导游和司机一个星期的相处和闲谈中,当地藏民的生活和风俗习惯,西藏独特的风土人情,给她们留下了深刻的印象。当她们俩在西藏玩了一个星期回到姥姥家后,仍然沉浸在"西藏印象"的兴奋之中……

我们每一次回国,在看望了父母亲友后,除了带孩子们到不同的地方去游览,还带他们到了安徽的农村,让他们亲眼看一看和体会一下当代中国农民的生活和农村的风貌。他们从来没有到过农村,一听说去农村,高兴得很,也非常想看看当地农村的情况。那是2002年的暑假,佳俐和汉青跟我们去了我母亲的老家舒城。当他们走在那窄窄的乡间小土路上,看到两边都是绿油油的麦苗地,远处黛绿色起伏的山峦,近处一池微波荡漾的养鱼塘,和一间间用土和红砖盖的小平房,他们觉得这里真美!当我们到了一位远亲的家里,他们看到在低矮的房子里,一切都是那么简朴、整洁和干净。他们第一次亲眼看到农村厨房里的灶台,烧饭和炒菜用的大铁锅,和用树枝、稻草、薯杆和木头来烧火,他们好奇极了,也想试试烧火。结果,试了几次,不但没烧着火,还把原来旺旺的火苗给弄灭了,搞得满屋子都是烟,他们自己也被烟熏得眼泪直流。这下子他们才知道,原来这烧火还真不容易啊!这时,和我们同行的舅舅告诉他们一句谚语:"人要实心,火要空心",并且耐心地解释给他们听,然后又示范给他们看,他们这才明白,原来看似容易的"烧火"还有这么一番道理。让他们感兴趣的是在屋旁的猪圈里,一个猪妈妈和五头刚出生一个星期的小白猪正在那里吃食,那白白胖胖的小猪崽真是非常可爱!汉青还轻轻地用手抚摸那小猪,没想到那小猪"哧、哧"摇头晃脑地欢迎他。也正是在那里,他们见识了农村里的蹲坑厕所是什么样,看到了当地人用来饮用的井水。

因为鱼塘是属于亲戚们的,他们俩很有兴致地拿了个小凳子,坐在那里钓起鱼来了。鱼塘里放养了很多鱼苗,但他们都是第一次钓鱼,等了好半天,看到鱼竿有点动了,就以为是鱼上钩了,猛拉起鱼竿一看,"没有!"他们又放了点鱼饵继续钓。因为他们很想钓到鱼,就很耐心地静静地坐在那儿,一言不发,生怕说话声会吓跑了鱼。汉青和佳俐两个人的眼睛直直地盯着水面,看着水面上是否有动静,猜想着鱼是否来吃鱼饵了。站在一旁的我,看到他们那副认真的样

"注意,鱼有没有上钩?"看,佳俐和汉青多么专注!

哇！汉青终于钓到一条鱼！

子,心想,钓鱼也可能是培养孩子们专心和耐心的一种好方法。又过了好一会,只听汉青小声说:"我钓到了,钓到一条鱼!"我们跑过去一看,可不是吗,是一条小鱼……打这以后回去,只要有时间,我们就会带他们去农村看看。有一次,正赶上村民们在水田里插秧,他们是第一次看到人们手拿着秧苗卷着裤腿站在水田里,弯着腰,把一小捆一小捆的嫩绿秧苗,整整齐齐地一排排地插进水田里。他们这才知道,平时所吃的白米饭,原来是这样种植出来的。也正是在那里,他们才知道棉花地里的棉花,在它们成长的过程中,开出的花是粉红色的、淡黄色的,到成熟时,结出的果实才是白色的棉花团。当然,在农村,他们看到了农村和城市的差别,但也发现,农民的生活也是在一年一年地改善……

2008年深秋,在印度生活了四个月的佳俐来到上海,她想趁未回学校前,回中国看看姥姥和其他亲戚,有机会的话还想找点事干,同时提高她的中文水平。那期间在上海时,佳俐住在她的表姐耀耀那里。耀耀是我妹妹的女儿,和亮靓同年,当时正在上海电视台财经频道工作。佳俐在上海时,耀耀正在参与第一财经为了纪念改革开放30周年,从财经观察者、见证者的角度出发,以编年史的形式,重述中国改革开放从1978年到2008年的重大经济事件。耀耀每天忙于采访、拍摄、撰稿、制作合成及编导的工作,一大早出门,很晚才回来,佳俐几乎都见不到耀耀的面。就连佳俐的爸爸到上海开会,要请耀耀一起吃顿晚饭、聊聊天,本来已约好时间,却临时因为"重要会议"而未能如愿。佳俐在上海的两个多月,直到她回美国的前一天,才和耀耀一起吃上了一顿饭。佳俐回来后,不无感慨地对我说:"我真没有想到,耀耀的工作会是那么忙! 一天到晚,除了几个小时在家睡觉,全是在忙那个项目。"我说:"这下你知道了吧,国内的年轻人,工作也是很勤奋啊!"佳俐说:"是的,我看耀耀做事还特别认真负责。"后来,当我把耀耀和她的同事们编写的31集大型电视纪录片《激荡1978—2008》成功播放并且获奖的消息告诉佳俐时,佳俐很高兴地说:"太好了! 我们应当好好地祝贺她!"

　　总之,我们的三个孩子,生在中国人的家庭,长在美国的土地上。他们若有时间,总是想回到中国去看看仍然健在的姥姥、亲戚们和朋友们。他们爱吃中国饭菜,也喜欢美国饮食;他们在家里,可以用中文和我们畅所欲言;跨出家门,面对的又是另一片天地。他们正是在中美两种文化的交融中,像那青青的小松树,一天天地茁壮成长!

　　根深才能叶茂。根,我们那深深的根,在故土,在中国!

金秋来临,他们将要远飞……

　　落基山的岁月,正是他们风华正茂的年代;落基山的学校,是他们吸取知识和智慧的园地;落基山的风雨,锤炼了他们振翅欲飞的羽翼。当他们告别了高中的老师和同学们,告别了父母亲,在那金色的秋天到来的时候,在那大学的校门展开双臂欢迎新生的时候,他们,飞向了美国的东海岸,飞向了新的学校! 我们默默地祝福他们:飞吧! 孩子! 海阔天空,勇敢地向着自己的目标,振翅高飞!

附录

美国高中生如何申请大学

这几年,我每年回去探亲,都会有朋友问到有关申请美国的大学、录取和怎样选择大学等具体事宜。我正是从三个孩子和他们的朋友们申请大学的过程中,了解到整个运作过程,大致程序如下:

和中国的十二年中小学校教育一样,美国也是十二年,所不同的是在美国,无论是公立还是私立学校,无论在哪个州,中、小学的年限可以根据当地情况划分,如有的地方小学是五年制,初中三年;而有的地方则是小学六年,初中两年等有所不同,但是,高中都是四年制,人们通常俗称"九年级到十二年级"。

大学的申请表格主要包括:九年级到十二年级的四年成绩,SAT 成绩,AP 成绩,三封推荐信,一篇写作短文,课外活动和义务服务;获奖名称和类别以及简单的家庭成员介绍。

四年学习成绩

四年的学习成绩,这是一个学生在高中阶段学习情况的真实而客观的记录,展示了每个学生每学期的所选科目的名称和难易程度。美国的高中采取类似大学的学分制,修满学分就可毕业。这样,高中生们就可以根据自己的情况,选择难易程度不同的课程。比如,有的学生只准备读两年制的社区大学,他只需学完学校规定的基本科目,达到毕业学分就可以毕业。有的高中毕业生要去上四年制的大学,那他要修满高中毕业的基本学分;有的学生想去"常春藤大学"或一流大学,那他要选修一些难度比较大的课程,如 AP 课程。

重要的 AP 课

什么是 AP 课? AP 是英文 Advanced Placement 的两个单词的词头的缩写。AP 课程相当于大学一年级水平的课,对于高中生来说,有一定的难度。在高中,教 AP 课程的老师,除了要有一般的教师执照,还要修有关的其他科目并且要通过考试,拿到教 AP 课程的资格证书,才可以教 AP 课。学生们要修 AP 课,也必须经过学校的任课老师和辅导员的认可和签字,才可以选学。多数高中生是在高中的第十一年级和十二年级开始选修 AP 课。少数学生经过老师的许可,在第十年级开始选修 AP 课。AP 课程的考试,一年只有一次,有点类似国内的全国统考。参加 AP 课程考试的全美国的高中生们,在每年五月份的某一天,根据各科目规定的时间,在指定的考场参加考试。AP 考试记分不同于 SAT,是五分制,即满分是五分。美国的多数大学是承认 AP 学分的,如果你的 AP 成绩是五分,上大学后,你就可以申请免修这门课。不过,每所大学的要求不一样,有的大学里对有的学科,即使是四分,也可以算作大学学分,可以免修。正是因为这样,有很多大学生,他们在高中修了好几门 AP 课,而且考的成绩是四分或五分,如果他们愿意将 AP 学分折合成大学学分,他们可以选择三年或三年半就从大学毕业。除此之外,对高中生来说,AP 课的重要性是如果你准备申请好大学,那么,你务必选修 AP 课,这是展示你的学习课程难易程度的一个明显标志,而大学也会注重这项课目的成绩。

SAT

所谓 SAT,实际上是分为 SAT Ⅰ 和 SAT Ⅱ 两种。SAT Ⅰ 主要是考英语,数学和英语写作,各科成绩均以 800 分计算,SAT Ⅰ 的满分是 2 400 分。SAT Ⅰ

基本上是每个申请上大学的学生都要参加的一项考试,与国内的统考类似之处是全美各地的学生都要在同一时间,在指定的考场参加考试;但不一样的是,SAT Ⅰ的考试,每年都有数次,学生们可以根据自己的情况选择报考日期和考试的次数。没有人规定你什么时间必须考 SAT,更没有人可以限制你考几次,这样就减少了考生的心理压力,反正第一次没考好,还可以再考。我们家的亮靓、佳俐和汉青,都是考了两次 SAT,第二次的成绩都比第一次高。有的学生第一次就考出自己满意的成绩,那当然非常好,省钱又省时间。也有人考三次、四次,甚至更多次,但也没关系,因为在大学申请表上,填上你的考分最高的 SAT成绩即可。SAT Ⅱ之所以不同于 SAT Ⅰ,是因为 SAT Ⅱ是单学科的除英语和数学之外的测试。例如,你修了中文、法文、物理、化学、生物等课程,你就可以报考 SAT Ⅱ的中文、法文、物理、化学等考试,类似 SAT Ⅰ记分。SAT Ⅱ的单科成绩满分也是 800 分。

必不可少的推荐信

除了以上有关学习的部分以外,三封推荐信是必须要的。通常是,一封推荐信需要由高中的辅导老师写,另外两封则由任课教师写。高中的辅导老师一般是经过专门训练,多数是拥有心理学、教育学等有关方面的学位,是与学生和家长互相沟通的桥梁。学生在学校有问题不知如何办时,可以直接找辅导老师谈,他们会尽力帮助学生解决问题的。尤其在选什么课程,选什么样的大学,怎样选大学等这些方面,如有疑问,辅导老师都会耐心地帮助学生。他们也会经常主动与学生联系,了解学生的情况。正是由于辅导老师在学校担任这样一种角色,对辅导老师来讲,给学生写推荐信也是他们义不容辞的责任。至于任课教师嘛,多数学生都去找教过自己课并且自己喜欢的老师,或者找那门课学你学得很好的任课老师,或者找很了解自己的老师写推荐信。推荐信一般都是老师和辅导员写完后,密封起来,交给学校,由学校直接寄到学生申请的大学招生办。

短文

推荐信是别人介绍你,自己还要介绍自己,这就是"短文"。因为写在申请表上,不要求长篇大论,会注明要求你写一百字或五百字的小文章,故称为"短文"。每所大学对"短文"要求的内容不一样,而且每年的题目也不相同。通常会给出几个题目,让你任选一题,例如:谈谈某个对你有重要影响的人或事;自己不平凡的经历;某个文艺作品对你的影响,等等。也有的学校采用回答问题的形式,让你阐述自己的观点。总之,"短文"虽短,却是举足轻重,因为招生人员从中看到你个人的特点和文笔。

课外活动和义务服务

还有一个申请表上必填的栏目是课外活动和义务服务。这里你就可以填上自己在课外时间和暑假参加过的各种社区或俱乐部活动,如戏剧社、校报、数学队、辩论队、游泳队、网球队、长跑队等,参加过的社区服务,募捐活动,到老人院的义务服务。可别小看这一栏,有的学校的申请表上,细致到你每周参加什么活动或义工,每天多少时间,一周多少时间参加这些活动。同时可别忘了填上自己在这些活动和俱乐部里担任的角色,例如学生会的负责人、辩论队的队长、募捐活动的发起人,以及获得什么奖励等等。这些虽然不是学习情况的介绍,但是,美国的大学是比较重视学生的全面发展,对于那些有着特殊的文艺和体育才能的学生,那些在自然科学、数学和社会科学比赛中获奖,以及领导能力和创新能力比较强的高中生们,是颇受大学青睐的。

总之,虽然美国有很多所大学,但是,入学的申请表格基本上如上所述,大同小异,主要是四年的高中修课成绩,AP成绩,SAT Ⅰ和SAT Ⅱ成绩,三封推荐信,短文,课外活动和义务服务,荣获的奖励和家庭成员简介。除此之外,美国大学的申请方式和时间与国内是不一样的。

首先,申请学校的方式基本上分为两类:即早期申请和常规申请。无论是选择哪种申请方式,都是在高中四年级也就是十二年级的上半学期进行,这与国内在高中毕业生参加高考后的 7、8 月份申请大学,9 月份入学的情况是不一样的。美国高中十二年级的学生,在当年的 8、9 月份开学后,就会纷纷收到各个大学的入学申请表格。准备早期申请的学生,需在 11 月初或中旬,将申请表寄到大学,通常在 12 月 15 号便会接到通知。如果被录取,你可以不用再申请其他学校;反之,可继续申请其他的大学,也就是常规申请。这种申请的截止期通常在 12 月底或来年的 1 月初,要到来年的 4 月 1 日,学生们才会知道自己被哪些大学录取,在 5 月 1 日前,作出自己要上哪所大学的决定,那年的秋季进入大学校门。

你也许会问,如果选择常规申请,可以申请多少所学校呢? 多数选择常规申请的学生都会申请五到十所大学,有的申请十几所大学。为什么申请这么多学校? 因为谁都心里没底,不知道会被哪所大学录取。另外,申请不同水准的大学是必要的,即使你是很优秀的学生,也不能仅仅申请一流大学,也要申请二流或三流大学,这样保险系数比较大。为什么呢? 这是因为相对于国内大学是以成绩为大学的主要录取标准,美国的大学录取新生确实复杂多了! 不要以为你是全 A 学生,一流大学就会录取你。高中学生的学科难易程度和成绩对大学来说,尤其是好大学,当然是很重要的一个因素,但绝不是唯一的因素! 哈佛大学每年都会拒绝成百个"全 A"和"SAT 满分"的学生。美国大学招生是要广选人才,招纳各种不同类型的人才。高中生的其他综合素质,如各种艺术和体育特长、领导能力、课外活动、义务服务、比赛的奖励等,都是重要的因素! 另外,美国社会是各国移民的"大拼盘",大学里也越来越重视学生的"多元化"。学生的不同种族,不同的家庭和个人背景,不同的州、城市或乡村也都是一个参考因素。由于美国本身的历史原因,印第安人、黑人、拉丁裔的子女及低收入家庭的子女受到高等教育的比例相对其他族裔低;因此近几年,大学招生越来越注重对这些学生的录取。中国、印度、韩国、日本等亚裔学生,普遍学习成绩和其他方面的表现相对而言都比较强,加之我们的传统文化是重视教育,很多孩子都很出色。可是,大学在招生中考虑到校园里的多元化,各个族裔的学生需要有一定比例,亚裔学生虽然大多数各方面都很优秀,但录取时,也只能是在一定的范围内。

正是因为这样,在我们的孩子们申请完学校后,在那不安地等待录取消息的日子里,我总是会对他们说:"我们中国人常说:'谋事在人,成事在天',你们努力了,就行了。至于哪所学校录取你,是学校的事,你是无能为力的,也不要想太多,顺其自然吧!"说实话,作为孩子的母亲,在那段期间,我也常常在想:"哪个学校会录取他们呢?"我也希望他们能够进到好学校,这是人之常情。但是,面对美国大学录取的实际状况,我不想苛求自己的孩子,也让自己学会心平气和地对待此事,否则会给自己,也给孩子带来很大的心理压力。我从亮靓1998年申请大学,到汉青上大学,这十多年来,我一直在关注我周围的中国和美国孩子们的上大学情况。从他们的经历中,我看到,除部分学生可以如愿以偿地进入第一志愿的大学,多数好学生所上的大学,通常并不是他们的第一志愿,可能是第二,或第三志愿,但是,也一定是好大学! 佳俐和汉青是这样,他们的许多美国同学们也是这样。一句话,好学生最终还是能进入好大学,但可能不是第一志愿!

对于常规申请的学生来说,由于申请了多所大学,接下来会收到许多录取通知书。但是,每个人只能上一所大学,去哪所大学就成了每个学生需要仔细掂酌,认真考虑的事。每年在这个时候,美国的大学会给被该校录取的学生发出邀请,欢迎他们前往学校参观;有的学校还会给个别学生付飞机票等费用,专门请该学生前往参观。各大学为了吸引学生和帮助学生了解该学校,也会安排多种活动,欢迎未来的新生到大学里参观、了解学校各方面的情况,以期帮助高中生们做出选择。很多学生会根据自己的情况,亲自到学校看看,然后再做决定。

由此看来,亮靓、佳俐和汉青,他们从进入高中到申请大学,再到被大学录取,这并不是一条非常平坦的路。当他们终于圆满地结束高中生活,开始新的充满挑战的大学生活时,作为父母的我们只能是默默地在心里祝福他们:一步一个脚印,往前走!

跋

　　当我终于写完书稿,我最想说的第一句话是"真诚地感谢生键红女士!"如果没有她热诚的鼓励和全力支持,如果没有她和我的倾心交谈和建议,如果不是她那赤诚的爱国之心和关怀年轻一代成长的热情,深深地感动了我,我几乎是不可能动笔把这本关于自己的三个孩子的成长经历写出来的!与此同时,我要感谢此书的编辑金柯先生和李梅女士,尽管远隔重洋,他们仍然从专业的角度,一次次耐心地给我提出宝贵的建议和修改意见,他们和我一样,希望能够尽可能完善地把这本书奉献给读者们!我也非常地感谢我们家庭的老朋友贾庆国先生,尽管他的工作和社会活动已经忙得不可开交,当我请他并为本书写序,他欣然答应,并且认真地阅读书稿和撰写序文。我也在此感谢史明先生为本书做的工作。

　　作为这本书的主人翁,当我和三个孩子谈了我为什么要把他们三人,从幼儿园到高中的这段经历写出来,他们表示理解和支持,并积极主动地配合我。我的先生,他总是支持我做自己喜欢的和能够做的事。我,作为孩子的母亲和先生的妻子,我为自己拥有这样一个和睦、温馨的家庭而心满意足!我内心的感激是无法用语言来描述的……

　　在我的心里,最牵挂的还是我那年已八十六岁高龄的饱经风霜的母亲!我不止一次地想回到她的身边,能够好好地陪伴她长一点时间,可是,一次次未能够如愿。尽管我是每年的暑假都会回国看望她和兄妹、亲戚们,但总是来去匆匆,实感内疚和遗憾。尤其是这一年,她知道我在写书,一再勉励我"不要分心,好好写"，总说她"一切都好"……妈妈的心意和希望，也是我要尽力写好这本书的强大的动力！毫无疑问，生活在我母亲身边的兄妹和亲戚们、朋友们，他们都在关心和照顾我母亲，他们也在关心和支持我的写作，我心里非常感谢他们为我所做的一切！尤其让我难忘的是，我的一个妹妹每天都在工作之余去照顾母亲；我那当医生的舅舅，不但自己写有关神经医学的书籍，对我的写作同样关心备至，常常在越洋电话中和我谈论有关问题；我的小姑子也在工作之余，帮我看稿和提建议；我那曾经朝夕相处过，至今已有四十年友谊的老朋友苏华云，自我离开家乡后，这几十年里，她即使在外地工作，每次回合肥，总是去看望我的母亲，她像对待自己的母亲一样，关心我的母亲，当她听说我要动手写这本书，专门跑到书店，买了三本人物传记的书，送给我参考；在我周围的一些中国和美国朋友们，也热情地在鼓励和支持我的写作……

啊！这浓浓的亲情，这纯洁的友情，是何等珍贵！正是这些，激励着我，要把孩子们的成长经历写出来。让更多的人通过这三个在美国长大的中国孩子实例，了解到他们在中国和美国两种不同的文化中，生活和学习的成长经历，了解他们是如何在美国接受教育，同时也可以了解到美国的中小学教育的一些实况。

作为移民家庭，我们来到异国他乡，举目无亲，一切靠自己！正因为如此，我们希望孩子们能够掌握生存的本领。在孩子们的成长中，根据他们每人的情况，我们对他们有所要求，有所期望，同时也给他们自由发展的空间。我们希望他们尽自己的努力学习科学文化知识，参与学校和社会上的活动，锻炼自己的各方面的能力；我们也尽自己的能力，给他们提供比较宽松的家庭环境，让他们能够健康愉快地成长。

我自己没有机会在美国的大学继续深造，也不曾学过教育学，从这点上谈教育孩子，我是"门外汉"。可是，我有一颗做母亲的爱心！我是在中国传统文化和美德的熏陶下长大的，并且有机会在中国受过良好教育。然而，这三个孩子是在美国的学校受教育,他们是在中美两种不同的文化中成长,和我过去的经历截然不同。我们只能是在自己的实践过程中,逐步地摸索。这中间,当然有失误,有教训,也有所改进。让我欣慰的是,尽管我们来美国后,在相当长的一段时间里,我们的经济条件相对差,但是,为了照顾先生和孩子,我一直只做兼职工作,即每天上午八点到下午两点。这样,孩子们放学回来,我会在家里,我是他们的"司机",接送他们参加各种不同的课外活动。正因为如此,我在参与他们学校的各种活动中,如学校的家长会,给老师帮忙,和其他家长组织义务活动和交流信息,观看他们的各种科学展览、文艺演出、体育比赛、数学竞赛、演讲、募捐等等,在这些过程中,我一步步地学习、了解和积累新的知识,学习美国的老师和家长们是如何教育孩子的,取长补短,逐步改进。从亮靓到美国上幼儿园,到汉青离开家上大学,从 1986 年到 2009 年,这 23 年间,在孩子们的学习和生活的成长过程中,实际上,我也是在其中学习和逐渐成熟起来;同时,我也从孩子们的身上学到了很多东西。

和我同时代的人一样,我是在那天真烂漫的初中时代遇到了"文革",下过乡,进过工厂,后来幸运地上了大学,有了很好的工作。命运的安排,却让我在自己工作卓有成效的时候,来到美国探亲。没想到,此行竟然成为我人生的巨大转折点! 很长,很长时间,我的内心在痛苦地挣扎……在这片陌生的土地上,我好像一下子"傻了"——说不好话,看不懂文章和电视,连别人笑什么都不明白,甚至连五分钱的小泡泡糖都舍不得给孩子买……你说,这样的日子好过吗?! 我怎能不想念自己的故土、亲人,和我酷爱的在北京的工作? 可是,看到先生勤奋刻苦地求学,看到孩子们愉快活泼地成长,我只得常常地对自己说:"既来之,则安之。"学会适应,学会生存,要往前看! 在这块土地上,我是永远不再拥有和北京一样的工作和荣耀! 但是,三个孩子的成长和先生事业的成功,给了我新的欢乐!

亲爱的读者,我是一个普通的中国母亲,我想,你们中间的大多数,大概也和我一样,也是普通的人。但是,我们都是希望自己的孩子能够成为一个好孩子,能够成为一个好公民,成为一个有益于社会的人,对吗？你们的孩子虽然是在中国成长,但在今天的中国,西方文化已经渗透到人们生活的方方面面,孩子们无可避免地要在东、西方两种文化的互相碰撞和互相融合中成长。正是因为如此,但愿书中三个孩子成长中的一段真实的经历,能给同为父母的你们一些教育参考。

或许,这本书出版后,我可以和你们一起,进一步地交流和探讨孩子们成长的故事……

任 毅

于美国丹佛家中

2011 年 4 月 26 日